Éléments

*Le chaos, l'ordre et
les cinq forces élémentaires*

Stephen
Ellcock

Sommaire

Introduction ⁸

*Les quatre humeurs et les quatre tempéraments. Le chaos. Les mythes de la
création. Les dieux primordiaux. Le Yin et le Yang. L'acupuncture. Les solides
de Platon. La cosmologie arabe. La pierre philosophale. Alchimie et transmutation.
L'astrologie. Les quatre saisons. Les chakras. La chaîne de l'être. Microcosme et
macrocosme. La théorie des correspondances. Les trois principes. La médecine
ayurvédique.*

La terre ³⁴

*La Terre-Mère. Cérès. Les mythes de la fertilité. Sacrifice et résurrection.
Agriculture et récolte. L'homme vert. Les fêtes païennes. Le burryman. Le chakra
racine. Le paradis. L'enterrement. Les géoglyphes et le Géant de Cerne Abbas.
Jardins et jardinage. Pierres, rochers et sable. Plantes, fleurs et feuillages.
La femme araignée. La régénération de la nature. La Roue de l'année.*

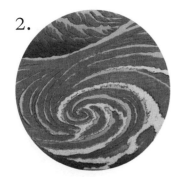

L'eau ⁷²

*Océans, rivières et lacs. Le chakra sacré, ou Svadhisthana. Les monstres marins.
Le fleuve cosmique Océan. Les mythes du déluge. Le baptême. Les inondations.
La pluie et les dieux de la pluie. La pénurie d'eau. Les sirènes. Les trombes
marines. L'énergie féminine. L'élévation du niveau de la mer. Les animaux
aquatiques. Neige, glace et icebergs. Les cascades. Marées, vagues et tsunamis.
Le surf.*

3. L'air ¹¹⁸

Le Qi. Nuages et arcs-en-ciel. Tonnerre, typhons, ouragans, tempêtes et tourbillons. Les graphiques anémographiques. Les voyages aériens : avions, planeurs, ballons à air chaud et dirigeables. Léonard de Vinci. Les dieux du tonnerre et du vent. Les souffleries. Les ondes ultrasoniques. Le rêve du vol humain. La pollution de l'air et le smog. Les quatre vents. Ballons et cerfs-volants. Icare et Dédale.

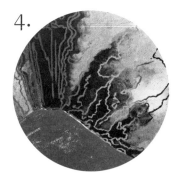

4. Le feu ¹⁶²

Les volcans. Cérémonies et rituels pour prévenir les incendies. Les bûchers funéraires et la crémation. Le vol du feu. Le culte du feu. Le feu sacrificiel. Le travail des métaux et la forge. Le feu purificateur. Le chakra du plexus solaire. Les pompiers ou Hikeshi. Le Soleil et Mars. Prométhée. Les cracheurs de feu. Photographie, feux d'artifice et Diwali. Les plantes pyrophytes. Les feux de forêt.

5. L'éther ²⁰²

L'élément éthéré. Les atomes. Akasha. Le vide. La passerelle entre les domaines physique et spirituel. Le chakra de la gorge. Le télescope Hubble. Forces invisibles et gravité. Espace, univers, planètes et étoiles. Spiritualisme et photographie spirite. Les anges. Les êtres au-delà du domaine humain. L'ectoplasme. Les formes-pensées. La photographie Kirlian.

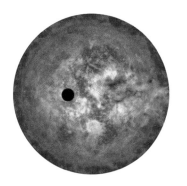

Préface—
Des propriétés des choses

Dans un monde hostile et sans pitié, face au chaos et à la complexité de la matière physique, nos lointains ancêtres ont cherché des réponses à des questions fondamentales : d'où venons-nous ? Comment le cosmos s'est-il formé et de quoi est-il fait ? Pourquoi les choses changent-elles constamment et pourquoi tout finit-il par se décomposer ?

Les réponses les plus ingénieuses et élégantes à ces questions se trouvent dans la théorie grecque des cinq éléments : l'air, le feu, la terre, l'eau et l'éther, ou quintessence. Cette théorie permettait d'expliquer la complexité de la nature en ramenant la matière à ses éléments constitutifs. Au niveau microcosmique, les éléments représentaient des états psychologiques, émotionnels et physiologiques distincts, tandis qu'au niveau macrocosmique, ils promettaient de révéler le fonctionnement de l'univers et les mystères de l'existence. Les cinq éléments classiques demeurent des symboles universels, des archétypes omniprésents ancrés au plus profond de l'inconscient collectif et de l'imagination populaire.

Les cinq éléments symbolisent avant tout les relations entre toutes choses. Ils sont les forces violentes et imprévisibles qui tiennent tout ensemble, qui lient le matériel à l'immatériel, le connu à l'inconnu. En perpétuel mouvement, ils se trouvent dans un état de flux perpétuel, verrouillés entre eux dans un cycle éternel de destruction et de création. La santé de notre planète dépend de l'équilibre précaire de ces forces. Si cet équilibre délicat est sacrifié ou saboté en permanence par la cupidité ou l'orgueil de l'homme, nul doute que l'anéantissement surviendra.

Il y a une vingtaine d'années, je me suis retrouvé moi-même aux prises avec un monde hostile et implacable ; à cette époque, je n'ai trouvé que très peu de réponses convaincantes susceptibles d'expliquer ma situation, et j'ai définitivement perdu mon équilibre. Littéralement et métaphoriquement. Les services d'urgence des hôpitaux sont devenus une sorte de nouvelle maison pour moi car, déterminé à anéantir le passé et l'avenir, j'avais plongé tête baissée dans le chaos. Les plaies, les cicatrices et les bleus ont guéri avec le temps, et les humiliations et la gêne ont vite été oubliées, mais il a fallu une ou deux décennies difficiles pour que je parvienne enfin à retrouver mon équilibre et ma place. J'étais une cause perdue sauvée par un sursis de dernière minute, la preuve vivante que les forces de la nature agissent de manière mystérieuse et inattendue.

La planète sans cesse traumatisée sur laquelle nous nous trouvons actuellement est un monde en profond déséquilibre, un monde en proie à une apparente pulsion de mort, prisonnier d'une boucle de rétroaction funeste, l'ultime cause perdue. Chaque jour, nous assistons à de multiples catastrophes, comme une apocalypse au ralenti. Spectateurs horrifiés ou indifférents de la désintégration de notre monde, la plupart d'entre nous semblent désorientés, désenchantés, déconnectés des rythmes de notre monde en perdition, tandis que nos liens avec le vivant semblent s'être à jamais rompus.

Ce n'est qu'en constatant que nous sommes soumis aux mêmes forces élémentaires que celles qui contrôlent toute création, et en apprenant à vivre en harmonie avec elles, que nous pourrons rétablir notre relation avec le monde naturel, retrouver l'équilibre et éviter le désastre annoncé. Notre bien-être futur, voire notre survie, dépend de ce que nous déciderons de faire. Gardons à l'esprit la place que nous occupons dans l'univers et tâchons de ne pas échouer.

*

*
Illustration du chaos, tirée des *Tableaux du Temple
des Muses* de Michel de Marolle, Cornelis Bloemaert
d'après Abraham van Diepenbeeck, 1655

Introduction

« *Les éléments tiennent
donc le premier rang
dans tous les êtres ;
ils en sont toute la
composition et les
propriétés, et leur
communiquent leurs
vertus.* » [*]

● Cartes à jouer représentant les quatre éléments, tirées d'un jeu de Minchiate (variante du Tarot), Florence, Italie, XVIIᵉ siècle

[*] Henri-Corneille Agrippa, *La Philosophie occulte ou la magie*, 1533

Dans « Hymne en l'honneur de l'Amour » (1596), le poète anglais Edmund Spenser décrit une version de la création dans laquelle les éléments conspirent les uns contre les autres, provoquant chaos et décadence. L'air déteste la terre et l'eau le feu jusqu'à ce que l'amour les agence dans leur ordre naturel et leur ordonne, en tant que créatures vivantes, de se mélanger les uns aux autres « d'une manière aimable ».

L'idée selon laquelle la terre, l'eau, l'air et le feu furent les premières substances à émerger au début de la création, et que l'on doive leur ordonnancement à une force divine, est aussi ancienne que l'humanité. Partout dans le monde, les mythes de la création racontent un temps où le cosmos surgit du chaos primordial, le plus souvent associé à l'eau – un processus qui implique généralement la dissociation de la terre, de l'air, de l'eau et du ciel, afin qu'au chaos s'imposent une forme et un ordre.

Chez les Amérindiens du sud-ouest des États-Unis, le principal mythe de la création mettait en scène le Plongeur terrestre, une créature (souvent un insecte aquatique, parfois une tortue) qui plonge dans les eaux originelles pour ramener du fond de l'océan de la boue avec laquelle la terre sera façonnée. Dans la mythologie polynésienne, Maui, le héros populaire, pêche dans l'océan l'île du Nord (Te Ika-a-Maui) de la Nouvelle-Zélande, tandis que son *waka* (pirogue) devient l'île du Sud, Te Waka-a-Maui. Dans la mythologie égyptienne, telle que décrite dans les *Textes des pyramides* (v. 2350 av. J.-C.), la création commence avec les eaux primordiales, lesquelles sont parfois personnifiées sous les traits de Noun, père des dieux. Le dieu Atoum surgit de l'océan primordial sous la forme d'un monticule pyramidal avant d'engendrer Shou et Tefnout, l'air et l'humidité. De leur union charnelle naissent des jumeaux : le dieu Geb (la Terre) et à déesse Noût (le Ciel). Shou les séparera ensuite pour créer l'espace entre les deux.

Dans la Grèce antique, l'un des premiers écrits relatant la création est la *Théogonie* (VIIIᵉ siècle av. J.-C. ; aujourd'hui perdue) d'Hésiode qui décrit la généalogie des dieux fondateurs. Chaos (ou Abîme) est le premier né, duquel surgira la Terre, le Ciel puis la Mer intérieure et l'Océan extérieur. Un autre récit antique fait état de trois dieux primordiaux de l'air : Éther, dieu de la haute atmosphère, Chaos, dieu de l'air au niveau de la terre, et Érèbe, dieu de l'air dans le monde souterrain. Éther engendrera Gaïa, la Terre-Mère, Thalassa, la déesse de l'océan primordial, et Uranus, le dieu du ciel.

La croyance grecque antique selon laquelle la terre, l'eau, l'air, le feu et l'éther sont les cinq éléments constitutifs de toute matière remonte aux philosophes présocratiques du VIᵉ siècle av. J.-C., lesquels étaient désireux de comprendre la nature de la matière et le fonctionnement du cosmos. Selon Aristote (384-322 av. J.-C.), Thalès de Milet aurait été le premier à proposer que toute chose fût constituée de matière,

✴ Stèle de Tatiaset, Deir el-Bahri, Thèbes, Égypte,
pâte et peinture sur bois, 825-712 av. J.-C.

✱ Illustration tirée de *Ein schöner kurtzer Extract der
Geometriae vnnd Perspectiuae* (Un bel et court extrait
de la géométrie et de la perspective), Paul Pfinzing
von Henfenfeld, 1599

laquelle était principalement composée
d'eau. Le monde, selon lui, flottait sur l'eau
tel un morceau de bois. Puis Anaximène de
Milet proposa que le *pneuma* – l'air, le souffle,
l'esprit – fût la principale composante de
la matière, tandis qu'Héraclite d'Éphèse
considérait le feu comme étant l'élément
premier. Selon ce dernier, le cosmos n'était
pas une création divine ni humaine, mais un
feu qui s'éteignait et se rallumait à l'infini.
Au Vᵉ siècle av. J.-C., Empédocle d'Agrigente
(v. 490-v. 430 av. J.-C.), dans *Sur la Nature*,
présentait quatre éléments, ou « racines » –
la terre, l'eau, l'air et le feu –, comme étant les
éléments de base de toute chose matérielle,
des éléments éternels et mélangés en diverses
proportions, rassemblés par les forces de
l'Amitié et séparés par celles de la Haine, à
l'origine des substances toujours changeantes
observables dans le monde.

Dans le *Timée*, Platon (v. 427-v. 347
av. J.-C.) qualifiait ces quatre éléments de
corps primaires et affirmait qu'ils étaient
formés de particules solides de forme
géométrique. Chaque corps était associé à
un solide : la terre au cube, l'air à l'octaèdre,
l'eau à l'icosaèdre et le feu au tétraèdre.
Platon soutenait qu'un cinquième solide,
le dodécaèdre, avait été utilisé par le dieu
créateur pour organiser les constellations.
Les solides associés au feu, à l'air et à l'eau
étaient composés de triangles de forme
similaire qui se transformaient mutuellement,
mais la terre était exclue de ce processus.
En outre, selon Platon, les humains vivaient
dans un monde d'ombres imparfait – copie
d'un monde éternel idéalisé – et étaient
incapables de voir le modèle divin qui sous-
tendait le monde parfait.

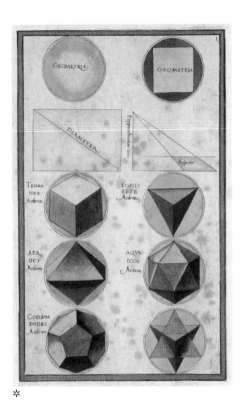

✱

Aristote, élève de Platon, ne croyait pas
que le monde consistait en une version
fantôme d'un monde idéalisé, préférant
expliquer l'univers selon ses propres
observations. Il partageait l'avis d'Empédocle
quant à l'existence des quatre éléments,
auxquels il en ajoutait un cinquième, l'éther,
dont était constitué tout ce qui se trouve dans
les cieux. Dans *Du ciel*, Aristote soutenait que
la Terre était une sphère solide et immobile
au centre de l'univers, lequel était divisé en
deux régions distinctes, la région sublunaire,
la Terre, et la région supralunaire, les cieux.
Dans la première se trouvaient donc la

Landscape with the Elements, tapisserie,
John Craxton, 1975-1976

PRINCIPAL·VICE CHANCELLOR·STIRLING UNIVERSITY 1965-1973

« Les éléments n'ont aucune indulgence. »

Henry Wadsworth Longfellow, *Drift-Wood*, 1857

✳

＊
Illustration tirée de *Hermetis Alchymia Naturalis Occultissima Vera* (L'alchimie vraie, naturelle et cachée), XVIIIᵉ siècle

✳
Cosmic Snakes, Yasmin Hayat, 2021

terre, l'eau, l'air et le feu, qu'Aristote classait par ordre de pureté, le feu étant le plus pur, suivi de l'air et de l'eau, la terre étant considérée comme l'élément le plus épais et le moins subtil. Toute chose était composée d'au moins deux éléments. Il leur attribuait des caractéristiques spécifiques liées à des qualités sensibles : le chaud, le froid, l'humide, le sec. La terre était froide et sèche ; l'eau froide et humide ; l'air chaud et humide ; le feu chaud et sec. Le mouvement naturel des éléments était rectiligne, se dirigeant soit vers le centre de la Terre, soit dans la direction opposée. Ainsi, la terre et l'eau, éléments lourds, se déplaçaient vers le bas ; l'air et le feu, légers, vers le haut. Les éléments n'étaient pas éternels, mais se régénéraient sans cesse mutuellement.

Le cinquième élément, l'éther, emplissait les cieux, peuplés de planètes et d'étoiles, et délimités par une sphère extérieure fixe d'étoiles. L'éther était pur et incorruptible, et son mouvement naturel était circulaire. Le mouvement circulaire des sphères célestes et les mouvements linéaires des éléments sublunaires provoquaient la modification des éléments terrestres. Par la modification d'une de ses propriétés, un élément se transformait en un autre. L'eau, présente dans l'air et chauffée par le soleil, se rapprochait de ce

dernier par le processus d'évaporation et s'éloignait donc de la Terre. À un moment donné, la condensation se produisait, l'air redevenait eau qui retombait alors sur Terre sous forme de pluie.

La nature quadruple des éléments terrestres décrite par Aristote sera étendue à plusieurs domaines de la connaissance, notamment la médecine, par d'autres penseurs classiques. Selon le médecin grec Hippocrate (v. 460-v. 377 av. J.-C.), le corps contient quatre fluides essentiels, ou humeurs, qui définissent la santé et la personnalité d'un individu : le sang, chaud et humide, associé à l'air et au printemps ; la bile jaune, chaude et sèche, associée au feu et à l'été ; la bile noire, froide et sèche, associée à la terre et à l'automne ; et le flegme, froid et humide, associé à l'eau et à l'hiver. Une bonne santé reposait sur le bon équilibre des humeurs corporelles. Les Grecs associaient également quatre tempéraments à une prééminence de l'une ou l'autre des quatre humeurs : le sanguin (sang), le colérique (bile jaune), le mélancolique (bile noire) et le flegmatique (flegme). Le médecin et physiologiste grec, établi à Rome, Galien (v. 130-v. 216) est l'auteur de nombreux écrits sur la théorie des quatre humeurs, des textes qui marqueront la pensée médicale jusqu'à la Renaissance. C'est également à lui que l'on doit le développement de la notion de correspondance entre les humeurs et les saisons associées aux quatre âges de l'homme : le printemps serait l'enfance, l'été la jeunesse, l'automne la maturité et l'hiver la sénescence. À ces corrélations viennent s'ajouter des divinités planétaires : l'air est associé à Zeus (Jupiter), l'eau à Poséidon (Neptune), la terre à Hadès (Pluton) et le feu à Héphaïstos (Vulcain). Grâce à ce système d'associations, il était possible d'envisager l'humanité comme un microcosme du macrocosme du cosmos.

La notion d'éléments figure également dans le *Corpus Hermeticum*, un recueil de

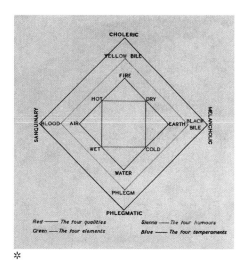

❊

après les quatre éléments suivaient les quatre « genres des composés parfaits » : les pierres, qui « viennent de la terre », les métaux, qui sont « aqueux », les plantes, qui « ont un [essentiel] rapport avec l'air » et les animaux, qui « tirent leur force du feu ». À l'instar de Trismégiste, il établissait un lien entre les éléments et les animaux, et même les anges : Séraphins de feu, Chérubins de la terre, Archanges de l'eau, Principautés de l'air...

Une large partie des connaissances du monde grec classique atteignit l'Europe de la Renaissance par l'intermédiaire d'érudits et de philosophes musulmans tels qu'Abu Nasr al-Farabi (mort v. 950 apr. J.-C.). Comme Platon, celui-ci considérait que la création revêtait la forme d'une chaîne des êtres émanant du Logos, ou Raison divine, dans une série de dix intellects – idée qui figurait pour la première fois dans le dialogue de Platon, le *Timée*. Ces dix intellects prendront la forme des sphères célestes de Ptolémée. Dans le monde humain, une chaîne platonicienne partait des êtres inférieurs jusqu'à la possibilité pour l'homme d'être réuni avec la Raison divine.

Dans l'Europe de la Renaissance, l'idée d'un lien entre les formes inférieures de l'être et Dieu fut développée en un concept connu sous le nom de « chaîne de l'être », un concept valable pour l'ensemble de la création. Les éléments constituaient les fondements de l'ordre divin et leur fonctionnement harmonieux était nécessaire à la bonne marche de l'État et à la fécondité de la nature. Ainsi, l'univers apparaissait comme étant organisé selon un schéma divin. Tous les niveaux, que ce soit dans

traités attribués au personnage mythique de l'Antiquité gréco-égyptienne Hermès Trismégiste et qui connut une certaine popularité à la Renaissance. Un des traités, intitulé *Kore kosmou* (« Fille [ou Vierge] du monde »), décrit les quatre éléments en expliquant que certaines créatures sont amies avec un des éléments, d'autres avec deux ou trois et d'autres encore avec les quatre, tandis que certaines créatures sont ennemies d'un ou de plusieurs éléments. Les sauterelles et les mouches fuient le feu, les oiseaux l'eau ; les serpents aiment la terre, les êtres volants l'air. Chaque âme dans son corps est soumise aux contraintes des quatre éléments.

Dans le premier des trois livres de *La Philosophie occulte ou la magie* (1533), le médecin et écrivain occulte de la Renaissance Henri-Corneille Agrippa de Nettesheim (1486-1535) considérait les éléments et leurs combinaisons comme étant un aspect essentiel de la magie naturelle. Selon lui,

LA PRATIQUE DE L'ACUPUNCTURE est née en Chine il y a 3 000 ans. Elle découle de la théorie selon laquelle les forces opposées du yin et du yang doivent être maintenues en parfait équilibre. Un déséquilibre à l'intérieur du corps se traduit par une maladie, ou une désharmonie physique, qui entrave la circulation de l'énergie vitale ou de la force de vie, le *Qi*, à travers le réseau corporel de canaux. L'acupuncture désobstrue les canaux d'énergie et rétablit la santé par l'insertion de petites aiguilles dans la peau en des points précis situés le long des canaux. Le *Traité d'Acupuncture et de Moxibustion*, qui décrit un système méthodique de diagnostic et de traitement ainsi que les 365 points d'acupuncture, parut sous la dynastie Ming (1368-1644) et demeure essentiel pour l'acupuncture moderne.

Gargouilles représentant les quatre
tempéraments (*dans le sens des aiguilles d'une
montre, en partant d'en haut à gauche* : sanguin,
flegmatique, colérique, mélancolique),
église St. Marien, Schladen, Allemagne,
photographie de Rabanus Flavus

✳

Mannequin d'acupuncture en bois,
Japon, 1681

✳

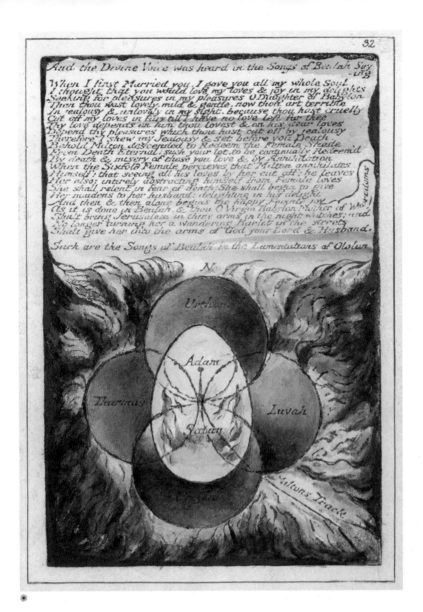

> « Et les quatre Zoas qui sont les quatre émanations éternelles de l'homme devinrent quatre éléments qui se séparèrent des membres d'Albion. »

William Blake, *Jérusalem : L'émanation du géant Albion*, 1815

Planche 32 représentant la relation
des quatre Zoas, tirée de *Milton:
A Poem* (copie C), William Blake, 1811

Namaste, Kour Pour, 2023

les cieux ou sur la Terre, étaient reliés par la chaîne de l'être, laquelle, par l'intermédiaire des anges, mettait Dieu en contact avec les hommes, les animaux, les plantes et les minéraux. Au bas de la chaîne se trouvait la classe inanimée qui a une existence et comprend les liquides et les métaux. Venait ensuite la classe végétative qui a une existence et une vie. Puis la classe sensible, ou animale qui a une existence, une vie et des sentiments. L'humanité venait ensuite, dotée de l'existence, de la vie, de la sensibilité et de la compréhension. Les anges, qui étaient des êtres spirituels dotés d'une compréhension intellectuelle, se situaient entre les humains et Dieu. Chaque classe obéissait également à une hiérarchie : l'or était plus noble que le laiton, le lion que la souris, le feu que la terre. Comme toutes les choses de cette chaîne étaient composées des quatre éléments, les éléments avaient leur propre chaîne, qui était reliée à la chaîne principale.

Un autre point essentiel de la pensée de la Renaissance européenne, en rapport avec la chaîne de l'être, était la théorie des analogies et correspondances selon laquelle les choses étaient reliées au sein des différentes catégories de la création. Les associations entre les éléments, les humeurs, les saisons et les âges de l'homme furent ainsi progressivement étendues à de nombreuses autres catégories, dont les signes du zodiaque, les métaux et les pierres précieuses. La plus importante de ces correspondances concernait le macrocosme et le microcosme, la croyance en une analogie entre l'homme et l'univers.

Les quatre éléments jouèrent un rôle dans la pratique ancienne de l'alchimie. Platon avait proposé l'existence d'une matière primordiale, ou première, à la source des éléments. Chaque élément pouvait se muer en un autre pour peu que l'on modifiât les proportions de leurs qualités – chaud, froid, humide, sec. Les alchimistes appliquèrent

le même principe de transmutation à leur recherche d'un moyen de transformer les métaux ordinaires, tels que le plomb, en or ou en argent.

Le système des éléments, utilisé dans l'alchimie au Moyen Âge et à la Renaissance, fut décrit pour la première fois par l'alchimiste arabe Jâbir ibn Hayyân (v. 721-v. 815). Il acceptait les quatre éléments aristotéliciens et leurs qualités, qu'il appelait « natures », et en ajoutait deux autres, le soufre et le mercure. Selon lui, les métaux se formaient dans la terre par le mélange du soufre et du mercure. Le métal formé dépendait de la qualité du soufre, l'or résultant de la meilleure qualité. Ces deux éléments étaient également essentiels au processus de transmutation, le soufre étant combustible et le mercure fluide. En modifiant la nature d'un métal, on obtenait un métal différent. Ce processus nécessitait un catalyseur, un *al-iksir*, ou élixir, permettant de réaliser la transmutation.

ÉLÉMENTS

Le médecin et alchimiste germano-suisse
Paracelse (1493-1541), né Theophrastus
Bombastus von Hohenheim, se fonda sur
les travaux d'Ibn Hayyân en ajoutant une
troisième substance au soufre et au mercure.
Paracelse acceptait lui aussi le concept des
quatre éléments matériels décrit par Aristote.
Selon lui, les éléments constituaient la base,
ou les « mères », de toute matière, car toute
chose en était issue : les plantes et les arbres
de la terre, les minéraux de l'eau, la rosée
de l'air, le tonnerre et la pluie du feu. Il
expliquait la nature de la médecine à l'aide
des *tria prima*, ou trois principes, qui selon
lui existaient dans les éléments. Ainsi, au
soufre (combustible) et au mercure (fluide
et changeant) d'Ibn Hayyïn, Paracelse ajoutait
le sel – solide et permanent. Il estimait que
les médicaments étaient constitués des
tria prima. Dès lors qu'un médecin était
à même de comprendre la nature des
médicaments en fonction de ces trois
principes, il saurait comment guérir les
maladies. Paracelse utilisait également les
tria prima pour décrire l'être humain dans
son ensemble : le sel représentait le corps,
le soufre l'âme (les émotions) et le mercure
l'esprit (l'imagination et le raisonnement).

Si Paracelse acceptait le rôle des éléments
aristotéliciens dans l'alchimie, il rejetait la
conception traditionnelle, que l'on devait
à Galien, selon laquelle la maladie était
imputable à un déséquilibre entre les quatre
humeurs corporelles. Au lieu de cela, il
privilégiait la théorie selon laquelle les
maladies ont des causes externes. En 1527,
il alla jusqu'à brûler publiquement les livres
de ses prédécesseurs, dont ceux de Galien, à
Bâle où il était alors professeur de médecine –

✱

un acte qui lui vaudra le surnom de « Luther
de la médecine ». Selon Paracelse, la santé
reposait sur l'harmonie entre le corps humain
(le microcosme) et la nature (le macrocosme) ;
il prônait en conséquence une approche
alchimique de la médecine, fondée sur le
rétablissement d'un juste équilibre entre les
deux. Dans ses livres, il faisait référence à
l'alchimiste interne du corps : la capacité
de ce dernier à distinguer ce qui lui est utile
de ce qui lui est nuisible.

L'*al-iksir* d'Ibn Hayyân et les *tria prima*
de Paracelse furent tous deux associés à
la pierre philosophale, le secret le plus
couru de l'alchimie au Moyen Âge et à la
Renaissance. Cette substance insaisissable
et inconnue était censée transformer les
métaux ordinaires, tels que le plomb
et le cuivre, en métaux précieux, tels
que l'argent et l'or. Certains alchimistes
pensaient également qu'elle pouvait servir
de médicament pour guérir les maladies,
prévenir le vieillissement et, en définitive,
conférer la vie éternelle.

DANS SON *OPUS PARAMIRUM*, l'alchimiste Paracelse considérait que les trois principes, ou *tria prima*, à savoir le soufre, le mercure et le sel, étaient présents dans chacun des éléments classiques que sont la terre, l'eau, l'air et le feu. Ensemble, ils permettaient la création de toutes les choses naturelles. Les trois principes se retrouvaient également dans chaque organisme sous la forme de trois humeurs. Paracelse pensait que la maladie était le résultat d'un poison externe pénétrant dans le corps et s'installant dans un organe spécifique, affectant l'équilibre naturel des trois humeurs dans cette zone. Il considérait que le remède à la maladie se trouvait dans la nature elle-même et conseillait aux médecins d'examiner le poison à l'origine de la maladie et d'utiliser cette substance en combinaison avec les *tria prima* pour créer un antidote. Il soutenait que le mercure était le seul remède efficace contre la syphilis.

Illustration représentant les trois
principes paracelsiens, tirée de
*Hermetis Alchymia Naturalis
Occultissima Vera*, XVIIIᵉ siècle

✳
Illustration provenant de
*Solidonius dominator elementorum,
author rarissimus et excellentissimus
philosophus*, XVIIIᵉ siècle

✳

Séparation des Eaux du Ciel
d'avec celles de la Terre.

Eaux

Séparation de La Terre verdoyante
d'avec les Eaux.

1.er Chap.
depuis le 1.

Si le médecin et alchimiste anglais Robert Fludd (1574-1637) était d'accord avec Paracelse sur la nature des maladies, et contestait lui aussi les travaux d'Aristote et de Galien, il rejetait l'idée que les *tria prima* représentassent le corps, l'âme et l'esprit. Fludd distinguait trois éléments cosmiques – Dieu (archétype), le monde (macrocosme) et l'homme (microcosme). En tant qu'astrologue et philosophe mystique, il s'intéressait particulièrement aux éléments. Selon son interprétation du livre de la Genèse, les ténèbres (le chaos) existèrent en premier, puis vint la lumière, et de la lumière était apparue l'eau. Il s'agissait selon lui des trois éléments primaires. Les cinq éléments d'Aristote et les trois principes de Paracelse étaient des éléments secondaires. La théorie du macrocosme et du microcosme était au cœur de l'œuvre de Fludd. Écrivant sur la circulation du sang, il comparait le cœur au soleil et le sang aux planètes, et affirmait que, tout comme les planètes circulent autour du soleil, le sang circule autour du corps.

Les Védas hindous, textes sacrés datant d'environ 1500-1200 av. J.-C., présentent un système de cinq éléments qui constituent la base de toute création : *prithvi* (la terre), *apas* (l'eau), *agni* (le feu), *vayu* (l'air) et *akasha* (le ciel, l'éther ou l'espace). Dans la médecine ayurvédique, le corps humain est constitué de ces cinq éléments qui se combinent dans des proportions singulières pour créer trois *doshas* (humeurs), dont l'équilibre détermine la santé physiologique, mentale et émotionnelle d'un individu.

Le bouddhisme n'accepte que quatre éléments et rejette l'*akasha*. Tout désordre est

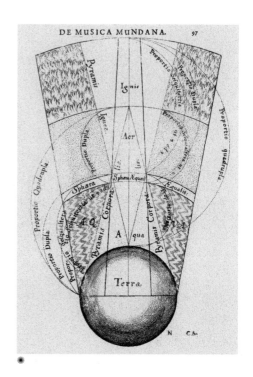

considéré comme le signe d'un déséquilibre entre les éléments. La première mention des chakras apparaît également dans les Védas. Les chakras – foyers d'énergie et points de méditation dans le corps – sont reliés entre eux par un réseau de voies énergétiques. Il existe de nombreux systèmes différents, mais selon le plus courant, les sept chakras principaux sont associés aux cinq éléments : le *muladhara* à la terre, le *svadhisthana* à l'eau, le *manipura* au feu, l'*anahata* à l'air, et les *vishuddha*, *ajna* et *sahasrara* au ciel ou à l'éther.

La tradition philosophique chinoise des Wuxing est également fondée sur la notion de cinq éléments, bien que ceux-ci diffèrent des éléments grecs classiques.

Plus précisément connus sous le nom de
cinq processus ou cinq phases, il s'agit de
types d'énergie plutôt que de substances.
Les cinq éléments sont créés par l'interaction
continue du yin et du yang. Le yin est féminin
et passif, associé à la lune, à la terre et à
l'humidité, et représente l'ombre. Le yang est
masculin et actif, associé au soleil, aux cieux
et à la sécheresse, et représente la lumière.
Ces énergies opposées interagissent pour
produire les cinq phases. Les origines de
ce système remontent à un recueil d'écrits
appelé *Shujing*, ou *Classique des Documents*
(v. 2400 av. J.-C.-660-620 av. J.-C.).
Le chapitre intitulé « Hong Fan » (L'ordre
de toute chose) énumère les éléments –
le bois *(mu)*, le feu *(huo)*, la terre *(tu)*, le métal
(jin) et l'eau *(shui)* –, et décrit comment ils
interagissent pour assurer le fonctionnement
harmonieux de la nature. L'eau humidifie
et pénètre, le feu brûle et s'élève, le bois
se plie et se redresse, le métal cède et se
transforme, et la terre reçoit et donne. Si les
Wuxing sont désordonnés, le chaos s'ensuivra.
Le comportement humain peut favoriser le
fonctionnement harmonieux du système ou
le perturber.

Sous la dynastie Han (202 av. J.-C. –
220 apr. J.-C.), le système des Wuxing se
transforma en une tradition philosophique
majeure. Il était utilisé pour expliquer le
cycle de changement dans le monde naturel.
Deux des principaux domaines auxquels
il sera appliqué sont la médecine et la
cosmologie. Au Ier siècle av. J.-C., le *Huangdi
Neijing (Classique interne de l'empereur Jaune)*
décrivait comment la notion des Wuxing
devait être appliquée à la médecine : une
maladie dite ardente, par exemple, devait

être traitée avec un médicament associé à
l'eau. Dans l'astrologie chinoise, chacun des
douze signes du zodiaque est régi par un ou
plusieurs des cinq éléments, en fonction de
l'année exacte dans laquelle est situé le signe.

*

*« La doctrine [des alchimistes] n'était pas une simple
fantaisie chimique, mais une philosophie qu'ils appliquaient
au monde, aux éléments et à l'homme lui-même. »*

W. B. Yeats, *Les Histoires de la rose secrète*, 1896

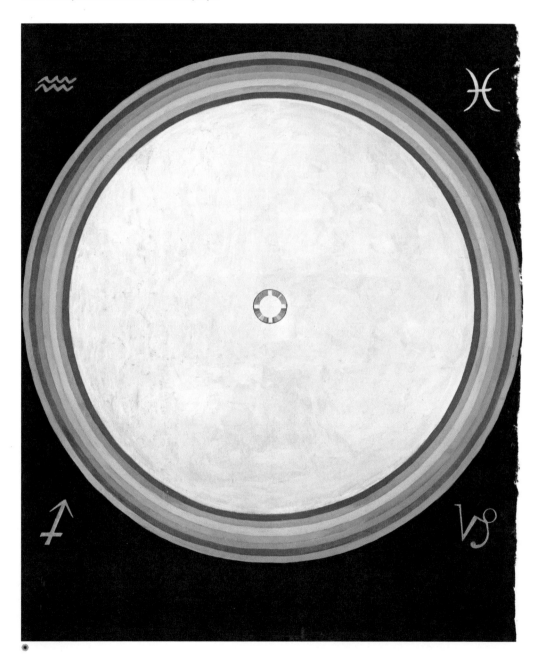

ÉLÉMENTS

*

Groupe IX/UW, La Colombe,
n° 14, Hilma af Klint, 1915

✳
Illustrations de neuf procédés
alchimiques, extraites de *Praetiosissimum
Donum Dei* (Le don le plus précieux de
Dieu), George Anrach, v. 1473

« *C'est l'entrelacement mutuel de ces éléments divers qui en constitue le lien [...]. Ainsi, un effort égal en sens contraire maintient dans leur place les choses resserrées encore par le mouvement circulaire du monde, que rien n'arrête.* »

Pline l'Ancien, *Histoire naturelle*, 77-79 apr. J.-C.

*

✻
Illustration extraite de *Geometria et perspectiva*, Lorenz Stöer, 1567

✽
« Région élémentaire ou sublunaire », Grégoire Mariette 1697

1.   La terre

« La terre d'où sort le pain est bouleversée en ses entrailles comme par un feu. Ses pierres recèlent des saphirs et l'on y voit des poussières d'or. » *

❋
Illustration extraite des *Secrets de l'histoire naturelle contenant les merveilles et choses mémorables du monde*, Robinet Testard, XVᵉ siècle

❋
La Bible, Job 28:5-6

Dans les mythologies du monde, la Terre est la mère primordiale, ou Terre-Mère, qui a donné vie à toutes choses. Dans les sociétés les plus anciennes, le lien entre la procréation et la fertilité de la nature a conduit à la création de divinités féminines personnifiant la Terre elle-même. Dans la mythologie grecque, la déesse Gaïa, premier être à émerger du chaos précédant la création, personnifiait la Terre – son sol, ses rochers, ses chaînes de montagnes et ses plaines – qui jaillissait à la vie.

Le peuple Okanagan de l'État de Washington, aux États-Unis, appelle la Terre « l'Ancienne ». Sa chair est le substrat, son souffle le vent, ses cheveux sont des plantes, ses os des roches. Selon la mythologie Hopi, dans le sud-ouest des États-Unis, la femme-araignée modela avec de l'argile les premiers animaux puis les premiers hommes et leur apprit à cultiver la terre. Dans la cosmogonie andine précolombienne, la mère de la Terre s'appelle la Pachamama ; elle est également la mère du maïs et préside à la plantation et à la récolte des cultures. Dans la mythologie nordique, la Terre a été formée à partir du corps du géant Ymir, tué par les dieux Odin, Vili et Vé. Après avoir entouré son cadavre

d'une mer, qu'ils créèrent à partir de son sang, ils utilisèrent sa chair pour faire de la terre et fabriquèrent la roche à partir de ses os.

Certains mythes de la fertilité gravitent autour d'un sacrifice et d'une résurrection, telle l'histoire du dieu égyptien Osiris. Dans la version la plus courante, Osiris, ancien souverain de l'Égypte, fut tué par son frère Seth, qui découpa son corps en morceaux avant de les disperser aux quatre coins du pays. Isis, l'épouse d'Osiris, reconstitua le corps puis l'enterra. Osiris descendit dans le monde souterrain, où il devint l'esprit de la végétation qui meurt pour renaître sans cesse, et incarna le Nil, le fleuve nourricier.

D'autres mythes de la fertilité décrivent eux aussi une descente aux enfers et un retour. Déméter, la déesse grecque des moissons, était chargée de veiller à la croissance des plantes et à la maturation des récoltes avec l'aide de sa fille Perséphone. Un jour, Hadès, dieu des enfers, enleva Perséphone et l'emmena dans son royaume pour en faire son épouse. Déméter, désemparée, partit à sa recherche, tandis que les récoltes mouraient. Pour remédier à la situation, Zeus décréta que Perséphone devait revenir à la surface au printemps et en été pour aider sa mère, avant de

Talatat (bloc de grès) représentant des hommes en train de bêcher la terre et l'argile, faisant autrefois partie d'une scène représentant la fabrication de briques de terre, Karnak, Égypte, 1351-1334 av. J.-C.

The Burryman, South Queensferry, Scotland, Leah Gordon, 2010

retourner dans le monde souterrain pour le reste de l'année. C'est ainsi que Perséphone est devenue la déesse du changement des saisons.

Tous les différents aspects de la Terre sont représentés par au moins une divinité. La déesse celte Abnoba personnifie la nature, les montagnes et la chasse ; la déesse hindoue Aranyani les forêts et ses animaux. Aja, déesse yoruba de la nature, est associée aux forêts, aux animaux et aux plantes médicinales. Konohanasakuya-hime est la déesse japonaise des fleurs de cerisier et du mont Fuji.

Depuis les temps les plus anciens, il existe des rituels liés à la régénération de la nature, dont les plus importants sont consacrés au retour de la vie au printemps et aux récoltes et semailles à l'automne. En avril, les Romains de l'Antiquité célébraient les *Cerealia*, des fêtes en l'honneur de Cérès, la déesse des céréales. Les fêtes d'automne étaient également importantes. Dans la Grèce antique, les Thesmophories, dédiées à Déméter, se tenaient en octobre, au moment des semailles.

Dans les anciennes sociétés celtes, les changements de saison étaient marqués par huit jours de fête, connus dans le néo-paganisme moderne et le mouvement Wicca sous le nom de la « Roue de l'année ». Ces fêtes ont lieu aux solstices d'été et d'hiver, aux équinoxes de printemps et d'automne, ainsi qu'aux points médians entre les deux. La fertilité et l'arrivée de l'été étaient célébrées le jour de Beltane (30 avril-1er mai) par des feux de joie et des danses. Les moissons étaient célébrées lors de la fête de Lughnasadh, au début du mois d'août. Le sabbat de Mabon, qui marque le passage

à l'équinoxe d'automne, fêtait le départ d'un dieu ou d'une déesse qui rejoignait le monde souterrain avant de revenir au printemps suivant, pour apporter la vie nouvelle. Yule était célébré au solstice d'hiver et consistait à décorer les arbres, censés abriter les divinités et les esprits, en l'honneur du dieu Soleil et à faire brûler la bûche de Yule pour marquer le retour de la lumière.

Selon Aristote, la terre était le moins pur des éléments et occupait la position la plus basse dans le domaine sublunaire. Ses propriétés sont le froid et le sec. Elle est associée à l'humour mélancolique, à l'automne et à l'âge adulte. Le cube, le plus stable des solides de Platon, la symbolise. Dans le tantrisme hindou, l'élément terre est associé à *Muladhara*, le chakra racine lié à la stabilité ; il est symbolisé par le lotus à quatre pétales, lesquels représentent les quatre éléments qui, ensemble, constituent le monde physique.

L'HOMME VERT, ou homme feuillu, est un très ancien personnage folklorique d'origine païenne. Symbole de la nature, de la fertilité et du renouveau, son visage est représenté entièrement cerné de feuilles d'arbre et parfois d'autres végétaux. On retrouve ce motif de l'homme vert dans l'architecture romaine, certaines églises chrétiennes datant du Moyen Âge ainsi que dans le Grand Palais de Constantinople construit au VIe siècle. L'absence de signification précise a permis à ce personnage d'être réinterprété à travers les cultures et au fil du temps. Dans l'Angleterre du XVIIIe siècle, le personnage de Jack in the Green était présent lors des célébrations annuelles du 1er mai : une personne, enveloppée d'une structure en osier entièrement recouverte de feuillage et dotée d'une fente pour les yeux, déambulait dans les rues, entourée de musiciens lors d'une procession. Bien que la tradition soit tombée en désuétude au début du XXe siècle, les années 1970 et 1980 ont vu la renaissance des défilés de Jack in the Green, lesquels se poursuivent encore aujourd'hui. Cet homme sauvage demeure, dans les croyances païennes, un symbole de la fusion spirituelle de l'homme avec la nature.

*

* Scène de jardin provenant de la tombe
d'Ipuy, Deir el-Medina, Thèbes, Égypte,
v. 1295-1213 av. J.-C., peinte par Norman
de Garis Davies, 1924

* « Greenman Falling », *The Oval
Oraculum*, vélin peint, Kahn &
Selesnick, 2023

CÉRÈS EST LA DÉESSE ROMAINE DE L'AGRICULTURE, de la fertilité, des céréales et des récoltes, à l'instar de son homologue grecque Déméter. Associée à la découverte de l'épeautre, au labourage, à l'ensemencement et à tout ce qui nourrit les semences, elle protège le cycle des cultures grâce à ses lois et ses rites. Elle est généralement dépeinte parée de céréales, de fruits et de légumes, symboles de sa capacité à fournir de la nourriture issue de la terre. Dans les premiers mythes romains, son fils est Liber (équivalent de la divinité grecque Bacchus), le dieu du vin.

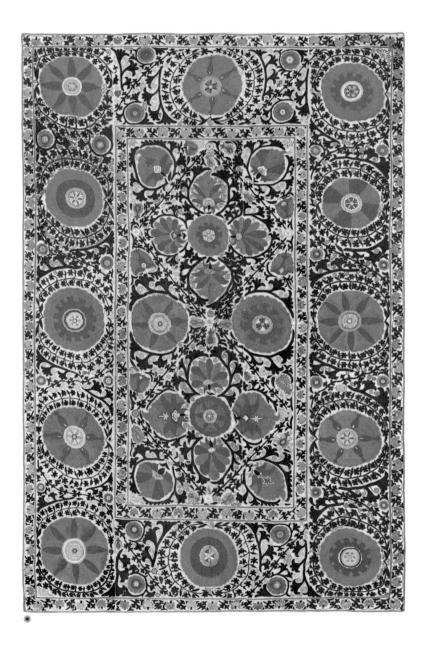

✳

✳
Kermina Suzani (type de
textile brodé), Ouzbékistan,
1800-1850

✳
Dorothy Etta Warrender (née Rawson),
lady Bruntisfield, incarnant Cérès,
madame Yevonde, 1935

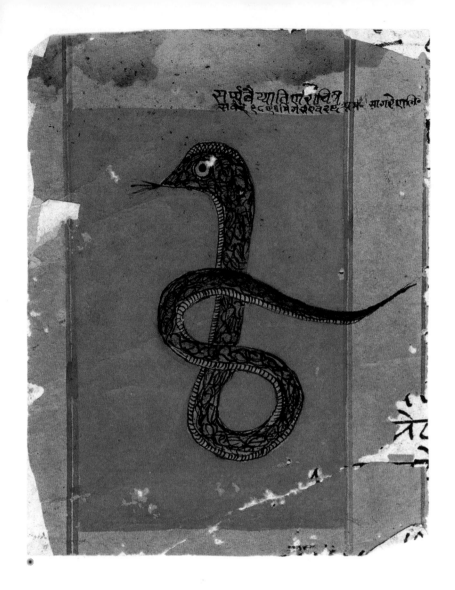

*

« *Si la masse terrestre et les flots vaporeux*
De la flamme ou de l'air diaphane, si l'onde
Et tout ce dont est fait le tissu de ce monde
Sont des combinaisons de corps nés pour mourir,
L'univers naît comme eux et comme eux doit périr. »

Lucrèce, *De la nature des choses*, v. 99-55 av. J.-C.

＊
Illustration d'un serpent provenant
d'un manuscrit associant les serpents
à la maladie ou au Kundalini (énergie
résidant à la base de la colonne
vertébrale), Rajasthan, Inde, XXᵉ siècle

✳
Gnossienne No. 1 ID#148, Latifa
Medjdoub, photographie de
Zeyn Downes, 2023

✳

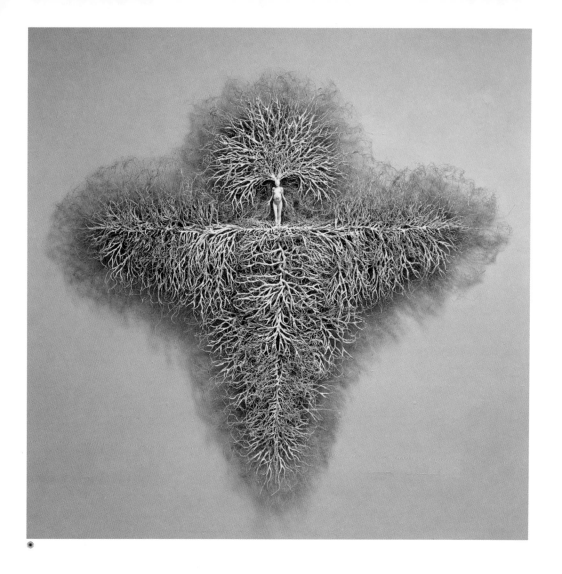

*

« Cette partie du monde [...] qui est le support
le plus solide de la nature, tels les os d'une créature
vivante, s'appelle la terre. »

Thomas Stanley, *The History of Philosophy*, 1656

❋ *Crucible*, Cathy de Monchaux, 2024

✳ *From the Mountain to the Lake*, Tracey Emin, 2023

✳

« *Prends garde ! Ne dors pas, ô fataliste sans prudence, sauf sous cet arbre chargé de fruits.* »

Djalâl-od-Dîn Rûmî, *Mathnawî, la quête de l'Absolu*, XIIIᵉ siècle

✳

＊

« *Les pas nouveaux traversent mon jardin,*
Les doigts nouveaux fouillent dans l'herbe. »

Emily Dickinson, *Poems by Emily Dickinson*, Section III : Nature, poème 1, publié en 1890

✳ *Teasel, Honesty, Yarrow* (détail),
Emma Biggs, 2023

✳ *Materials for Survival* (détail),
Emma Talbot, 2023

✳

✳
Peinture aborigène représentant des tortues, peinture sur écorce, Australie

✳
Life Cycles, Minna Leunig, 2022

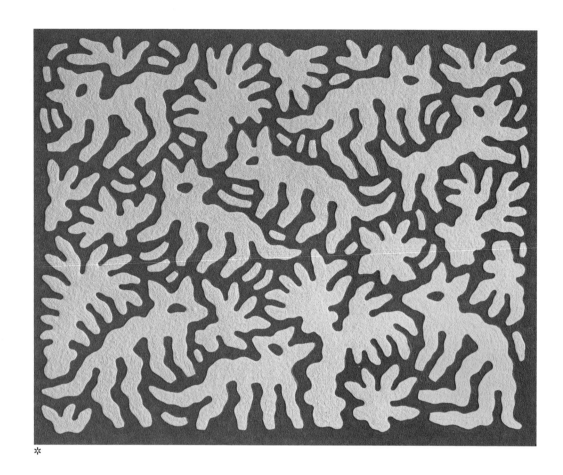

*

« Nous appartenons à la terre. La terre nous fait tous grandir [...]. Aucun humain n'est plus vieux que la terre elle-même [...] et aucun marsupial vivant n'est aussi vieux que la terre elle-même. Tout ce qui a été de chair et d'os est mort. La terre, elle, est toujours là. »

Bob Randall, « The Land Owns Us », 2009

✻

✻
Peinture représentant des êtres
mi-plantes, mi-animaux, Inde,
tempera à la gomme et or sur
papier, début du XVIIᵉ siècle

✳
Le Jugement dernier, détail du retable
de la basilique Saint-Marc, Florence,
Italie, Fra Angelico, 1425-1430

LE PARADIS – une terre idyllique, luxuriante et paisible, promise aux vertueux après la mort pour l'éternité – est un mot persan qui signifie « jardin clos ». Les vastes jardins entourés de murs de l'Empire perse achéménide (550-330 av. J.-C.) comportaient quatre quadrants, que séparaient des cours d'eau, emplis de fleurs parfumées et d'arbres fruitiers, formant ainsi un espace parfaitement harmonieux et protégé.

*

✳

*

« *Terre, mon image,*
Bien que tu paraisses si impassible, là, en ton ampleur
et ta sphéricité,
Je soupçonne à présent que cela n'est pas tout ;
Je soupçonne à present qu'il y a en toi quelque chose
de sauvage et terrible susceptible d'éclater. »

Walt Whitman, « Terre, mon image », *Feuilles d'herbe*, 1891-1892

*

The Wheel of Fortune, Ghalia Benali,
2013, modifié en 2022

✻

Mues de Loba, Izabella Ortiz,
2015

« *Quelles racines s'agrippent, quelles branches croissent.*
Parmi ces rocailleux débris ? »

T. S. Eliot, *La Terre vaine*, 1922

*

« *La force qui pousse la fleur dans la verdeur Pousse ma verdeur ; qui dévaste les racines des arbres Est mon dévastateur.* »

Dylan Thomas, « La force qui pousse la fleur... », *18 Poèmes*, 1934

*

« Je me lègue à la boue pour renaître de l'herbe que j'aime,
Si tu me veux désormais, cherche-moi sous la semelle de tes souliers. »

Walt Whitman, *Feuilles d'herbe*, 1891-1892

❋

❋ Cimetière avec compositions
florales, photographie de
Walker Evans, octobre 1973

✻ *Sand Fountain*, Joseph Cornell,
v. 1961

*

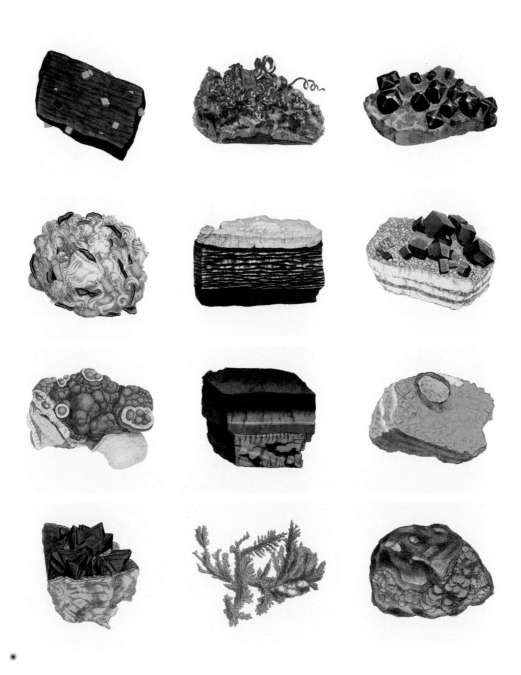

*

LES FIGURES GRAVÉES À MÊME LE SOL, souvent à flanc de colline, s'appellent des géoglyphes. Elles sont créées en supprimant l'herbe pour révéler la roche puis en remplissant ce tracé de craie ou de calcaire. Un des géoglyphes les plus célèbres est le Géant de Cerne Abbas, dans le Dorset, qui représente une figure humaine de 55 mètres de haut et date de la période anglo-saxonne (450-1066). On pense que le géant a été créé pour servir de point de rassemblement aux troupes saxonnes de l'Ouest, bien que, selon certains contes populaires, la figure représenterait la dépouille d'un véritable géant tué par les habitants de Cerne Abbas.

*

« *Le ciel gronde au-dessus de nous, la terre tremble sous nos pieds,*
Car Geb, le Dieu de la Terre, tremble, et le sacrifice est accompli. »

« Le sacrifice du Roi », *Textes des pyramides*, v. 2613-2181 av. J.-C.

✳

*

« Je célébrerai la Terre solide, mère antique de toutes choses, nourrice de tous les êtres épars sur le monde. Ils vivent tous de vos largesses, qu'ils rampent sur le sol, qu'ils habitent la mer ou qu'ils volent dans les airs. »

« À la mère de tous », *Hymnes d'Homère*

ÉLÉMENTS

✳

Photographie d'un danseur
fantôme Kwakiutl, États-Unis,
épreuve à la gélatine argentique,
Edward S. Curtis, 1910-1914

Wildeman op een eenhoorn (Homme feuillu
chevauchant une licorne), Maître du
Cabinet d'Amsterdam, 1473-1477

*

« *Lève-toi, mets ta couronne et avance :*
Tu es, fraîche et verte, un printemps qui
danse. »

Robert Herrick, « Corinna s'en va fêter le mai », *Hesperides*, 1648

❋
Jardin, dessin pour un tapis,
Gunta Stölzl, s.d.

✱
Rooting, Reborn-Art Festival, Miyagi,
Japon, Damien Jalet, avec le danseur
Aimilios Arapoglou, photographie de
Yoshikazu Inoue, 2019

❋

*

« *Ah qui calmera jamais ces enfants fiévreux ?*
Qui justifiera ces explorations incessantes ?
Qui dira le secret de l'impassible terre ? »

Walt Whitman, « Passage vers l'Inde », *Feuilles d'herbe*, 1891-1892

2. L'eau

« *Rien ici-bas, n'est plus souple,
moins résistant que l'eau,
pourtant il n'est rien qui vienne
mieux à bout du dur et du fort.* » [*]

[*] *Les Tourbillons de Naruto à Awa*, série « Rokujūyoshū meishozue » (Vues des sites célèbres des soixante et quelques provinces du Japon), Utagawa Hiroshige, v. 1853

[*] Lao Tseu, *Tao-te Ching*, VIᵉ siècle av. J.-C.

L'eau, qui constitue l'une des forces les plus puissantes sur Terre, peut en quelques minutes détruire tout ce qui se trouve sur son passage, mais elle est également à l'origine de toute vie et en assure la pérennité. Elle couvre plus de 70 % de la planète et a la force de sculpter le paysage, tout en étant une substance capable de s'adapter à la forme de n'importe quel contenant. Humide et froid sont ses qualités aristotéliciennes. Selon la théorie des correspondances, l'eau est associée à l'hiver et à la sagesse qui vient avec l'âge, au tempérament flegmatique, au dieu romain de la mer, Neptune. Elle est liée au chakra sacré, ou *Svadhisthana*, dont les qualités sont la fluidité, l'adaptabilité et la créativité. Dans le domaine de l'alchimie, c'est une énergie féminine qui représente l'intuition.

Dans les mythologies du monde, l'eau représente le chaos qui existait au début de la création. C'est à partir de cette eau primordiale que les dieux créateurs ont façonné le monde, un processus qui représentait la naissance de l'ordre à partir du chaos. Dans la mythologie grecque primitive, la Terre était un disque entouré par le fleuve cosmique Océan. En tant qu'eau primordiale, Océan était la source inépuisable de toute vie. Parmi les dieux de l'Olympe, Poséidon, frère de Zeus, régnait sur les océans ; il pouvait soulever les vagues, provoquer tempêtes et tremblements de terre et, s'il avait également le pouvoir sur les lacs et les sources, les rivières, elles, avaient leurs propres divinités.

Le philosophe grec du VIe siècle av. J.-C. Thalès de Milet considérait l'eau comme l'élément de base de toute matière. Observant une île qui semblait monter et descendre à l'horizon, il en conclut que la Terre se condensait à partir de l'eau et pouvait être dissoute par elle. Il pensait également que les nuages, par l'intermédiaire de la vapeur d'eau, reliaient rivières et océans, et se déplaçaient autour de la Terre, produisant pluie, grêle et neige.

Les mythes du déluge sont présents dans de nombreuses cultures. Si certains font partie de l'histoire de la création de notre monde, d'autres racontent un nouveau départ ou une seconde chance pour l'humanité. Mécontent du péché des hommes, Dieu provoque une inondation dévastatrice, mais sauve une personne – Noé selon la Genèse, Utnapishtim selon l'épopée de Gilgamesh, Deucalion selon la mythologie grecque – ainsi qu'au moins un membre de sa famille, afin que l'humanité puisse reprendre. On retrouve des résonances de ces mythes du déluge dans les rituels de purification de nombreuses religions. Dans l'hindouisme, le Gange est incarné par la déesse Gangâ, et tous ceux qui se baignent dans le fleuve sont lavés de leurs péchés. Le baptême, dans la foi chrétienne, consiste en l'immersion dans l'eau ou l'aspersion d'eau sur la tête. Dans les religions shintoïste et musulmane, avant d'entrer dans un lieu de culte, les visiteurs doivent se purifier en se lavant.

Si les dieux de la pluie apportaient l'eau indispensable aux cultures, ils pouvaient aussi provoquer des inondations destructrices.

✳

De nombreux dieux des phénomènes météorologiques étaient également des dieux de la fertilité. Zeus était le dieu grec du ciel, associé à la pluie, au tonnerre et aux éclairs. Tlaloc était le dieu aztèque de la pluie et de la fertilité. Les Aztèques le croyaient capable de provoquer des inondations s'il était mécontent, ainsi, pour l'apaiser, pratiquaient-ils des sacrifices humains. Le peuple Navajo, dans le sud-ouest des États-Unis, vénère un dieu du nom de Tonenili, qui apporte la pluie, la neige et la glace.

Dans la mythologie chinoise, toutes les eaux étaient contrôlées par des dragons, capables aussi de cracher des nuages. L'un d'entre eux, Yinglong, était considéré comme responsable des précipitations : il dormait tout l'hiver et se réveillait à la saison des pluies. Dès le VIᵉ siècle av. J.-C., la procession de dragons en papier ou en tissu tendu sur un cadre de bois et portés par un groupe de danseurs, marquait les fêtes de la pluie.

De nombreux dangers, réels ou imaginaires, guettaient les marins dans le monde antique. Dans *L'Odyssée* d'Homère, Ulysse et son équipage sont menacés par Scylla et Charybde, qui surveillent le détroit de Messine entre l'Italie continentale et la Sicile. Scylla est un monstre à six têtes qui dévore les marins, Charybde un puissant tourbillon qui les entraîne vers la mort : les navires doivent se frayer un chemin entre les deux. Selon d'autres mythes, la séparation de la terre et de l'eau avait impliqué la défaite d'une créature océanique opposée à la naissance des nouveaux mondes et qui, à présent, demeurait tapie dans les profondeurs de l'océan. Les mythes du serpent de mer

et du dragon de mer ont existé dans de nombreuses sociétés maritimes. Le kraken du folklore scandinave et le lusca des Caraïbes sont l'un comme l'autre des créatures géantes semblables à des pieuvres qui attaquent et font chavirer les navires.

L'une des créatures aquatiques les plus connues est la sirène, née du mythe d'Atargatis, déesse syrienne de la lune, de la fertilité et de l'eau. Les marchands grecs qui sillonnaient la Méditerranée ont répandu son culte dans tout le monde grec, où elle était considérée comme une variante d'Aphrodite, en raison de sa beauté. On raconte qu'Atargatis, souhaitant prendre la forme d'un poisson, plongea dans un lac, mais comme les dieux ne voulaient pas qu'elle renonçât à sa beauté, elle avait gardé un corps humain à l'exception d'une queue semblable à celle d'un poisson. La croyance en ces créatures était telle qu'en janvier 1493, l'explorateur Christophe Colomb déclara avoir vu trois sirènes au large de l'île d'Hispaniola (partagée aujourd'hui entre Haïti et la République dominicaine) lors de son premier voyage vers les Amériques. Il s'agissait selon toute probabilité de lamantins.

« *Ces paysages d'eau et de reflets sont devenus une obsession.* »

Claude Monet, lettre à Gustave Geffroy, 11 août 1908

✳

LES TROMBES MARINES, ou tourbillons d'air et d'eau, se produisent
généralement à moins de 100 km des côtes, et certaines ont été observées
au-dessus de lacs. Fréquentes dans les régions tropicales et subtropicales,
elles ont également parfois lieu dans les zones tempérées généralement à la
fin de l'été. Une trombe marine se développe en cinq étapes : elle commence
sous la forme d'un cercle de couleur claire à la surface de l'eau, entouré
d'une zone plus sombre ; ces deux zones se transforment en spirales claires
et sombres d'un diamètre inférieur à 2 km ; un anneau de pulvérisation dense
se forme ensuite à partir des spirales ; puis un entonnoir visible prend forme
lorsque l'air s'élève de la surface de l'eau vers un nuage de type cumulus,
cumuliforme ou cumulonimbus qui se développe directement au-dessus
de la trombe. Enfin, lorsque l'air chaud qui afflue vers le vortex s'affaiblit,
l'entonnoir commence à se dissiper et, au bout d'une vingtaine de minutes,
la trombe retombe à la surface de l'eau et disparaît.

Photographie du Mildred
(1889), échoué au large de
Gurnard's Head, Cornouailles,
Angleterre, 1912

Photographie de trombe marine prise
par l'équipage de l'USS Pittsburgh à
l'embouchure du fleuve Yangtze, en
Chine, et publiée dans *Flug und Wolken*
(Vol et nuages), Manfred Curry, 1932

＊

＊
Plonge, Didier William,
2023

＊
Sea Form (Atlantic),
Barbara Hepworth, 1964

« Ses plaisirs mêmes
Le soulevaient comme un dauphin qu'on voit bondir
De l'élément liquide. »

William Shakespeare, *Antoine et Cléopâtre*, acte V, scène II, l. 108-110, 1607

*

« Ô, ta colère est-elle contre les fleuves ?
Ta fureur contre la mer... »

Psaume 93, Manuel d'Ougaritique, cycle de Baal, v. 1500-1300 av. J.-C.

✳

✳

Planet (wanderer), Damien Jalet et Kohei
Nawa, avec les danseurs Christina Guieb,
Francesco Ferrari et Astrid Sweeney,
photographie de Rahi Rezvani, 2021

✳

Das Eismeer (La Mer de glace),
Caspar David Friedrich,
1823-1824

ÉLÉMENTS

✳
The State We're In, A,
Wolfgang Tillmans,
2015

✳

DANS CETTE SÉRIE PHOTOGRAPHIQUE intitulée *SINK/RISE*, exécutée
dans le Pacifique Sud et présentée en 2023, le photographe Nick Brandt
cherche à mettre en évidence le sort des communautés des îles Fidji
face à l'élévation du niveau de la mer due au changement climatique.
En effet, selon les prévisions, le niveau de la mer dans l'océan
Pacifique devrait monter de 25 à 58 cm d'ici le milieu du XXIᵉ siècle,
ce qui entraînera de graves inondations et la disparition des sources
d'eau souterraine dans les îles basses. Si les températures mondiales
augmentent de 2°C par rapport aux niveaux préindustriels, les eaux
de la région se réchaufferont à tel point que 90% des récifs coralliens
subiront un blanchiment, mettant en péril la survie des espèces marines
qui les habitent.

✱

*

« L'eau est la substance la plus extraordinaire qui soit !
Pratiquement toutes ses propriétés sont atypiques, ce
qui a permis à la vie de l'utiliser comme matériau de
construction pour ses mécanismes. La vie, c'est de l'eau
qui danse au rythme des solides. »

Albert Szent-Gyorgyi, *The Living State: With Observations on Cancer*, 1972

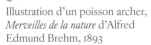

* Illustration d'un poisson archer,
Merveilles de la nature d'Alfred
Edmund Brehm, 1893

* Planche 98 – Trachomedusae, *Kunstformen
der Natur* (Formes artistiques de la nature),
Ernst Haeckel, 1904

*

*

« *Le grand chemin était neigeux et le givre appendu
aux branches des pins.* »

François-René de Chateaubriand, *Mémoires d'outre-tombe*, 1848

« [L]e fleuve est partout simultanément : à sa source et à son embouchure, à la cataracte, au bac, au rapide, dans la mer, à la montagne : partout en même temps [...]. »

Hermann Hesse, *Siddhartha*, 1922

✻

Deux Femmes sur le rivage,
Edvard Munch, 1898

✱

Mino no Yōrō no taki (Chute d'eau de Yōrō
dans la province de Mino), de la série
« Shokoku taki meguri » (Visite des chutes
d'eau dans diverses provinces), Katsushika
Hokusai, v. 1832

L'eau

✳

Motifs de vagues et d'ondulations,
tirés de *Ha Bun Shu*, Mori Yūzan, 1919

✲

The Wave, Christopher Richard
Wynne Nevinson, 1917

« *Je les ai vues monter les vagues vers le large*
Peignant les blancs cheveux des vagues rebroussées
Lorsque le vent brasse l'eau blanche et bitumeuse. »

T. S. Eliot, *La Terre vaine*, 1915

*

LA MACHINE À VAPEUR, qui fonctionne avec des combustibles fossiles tels que le charbon, le bois et le pétrole, a été le moteur de la révolution industrielle en Europe et aux États-Unis de 1760 à 1840. La machine à vapeur conçue par James Watt en 1776 était une nette avancée par rapport à la « machine atmosphérique » de Thomas Newcomen de 1712, grâce à l'introduction d'un mécanisme rotatif et au doublement de l'efficacité du carburant. À partir de 1801, les machines à vapeur à haute pression conçues par Richard Trevithick et Oliver Evans améliorèrent l'efficacité des engins à vapeur ainsi que des locomotives et des bateaux à vapeur. Comme les usines ainsi équipées nécessitaient un approvisionnement constant en eau, elles étaient construites au bord d'une rivière ou d'un fleuve. Des bateaux à vapeur à aubes furent construits pour transporter courrier, passagers et fret sur les fleuves et en mer. En 1811, une flotte régulière de bateaux à vapeur reliait Pittsburgh à la Nouvelle-Orléans via la rivière Ohio puis le Mississippi. Au moment de la Ruée vers l'or en Californie, en 1848, des bateaux à aubes effectuaient des trajets réguliers entre New York et San Francisco, en passant par Panama. Des remorqueurs à vapeur plus petits peuplaient la baie de San Francisco où ils transportaient les mineurs en route vers les champs aurifères non loin de Sacramento, en Californie.

✳

✳

Vapeur, épreuve sur papier
albuminé, Gustave Le Gray,
1857

Un mannequin posant sous
l'eau dans un bassin de dauphins,
Marineland, Floride, États-Unis,
Toni Frissell, 1939

« Pourquoi les anciens Perses ont-ils tenu la mer pour sacrée ? Pourquoi les Grecs lui ont-ils donné un dieu distinct, le propre frère de Jupiter ? Tout cela ne saurait être vide de sens. Plus lourde encore de signification, l'histoire du Narcisse qui, ne pouvant faire sienne l'image tourmentante et douce que lui renvoyait la fontaine, s'y précipita dans la mort. Cette même image nous la percevons nous-mêmes sur tous les fleuves et tous les océans. C'est le spectre insaisissable de la vie, la clef de tout. »

Herman Melville, *Moby-Dick*, 1851

Plat en argent doré représentant
la déesse zoroastrienne Anahita,
Iran, 400-600 apr. J.-C.

Palette représentant une nymphe
marine chevauchant un monstre marin,
Gandhara (aujourd'hui nord-ouest du
Pakistan et nord-est de l'Afghanistan),
99 av. J.-C.-100 apr. J.-C.

✳

✹ Photographie de vagues engendrées
par le typhon Cimaron au Japon,
Chika Oshima, 2018

✳ *Moon and Sea No. II*, Arthur Dove,
1923

« *En regardant vers le large, ils virent un grand mur d'eau, d'une hauteur variant entre trente et quatre-vingt-dix pieds, qui approchait de la terre. Il détruisit tout sur son passage [...] et se retira, chargé d'un vaste fardeau de mort et de ruine.* »

Article sur l'éruption du Krakatoa, *The San Diego Union*, 2 septembre 1883

*

LE SURF SERAIT ORIGINAIRE de Polynésie, où il était pratiqué par les hommes, femmes et enfants de toutes les couches de la société. Des peintures rupestres datant du XIIᵉ siècle y ont été découvertes qui représentent des personnes surfant sur les vagues. Dans des écrits datant des XVIIᵉ et XVIIIᵉ siècles, des explorateurs européens louaient les talents des surfeurs de ces îles. En 1778, William J. Anderson, le médecin de bord du capitaine James Cook, nota : « Je n'ai pas pu m'empêcher de conclure que cet homme ressentait le plus grand plaisir, alors qu'il était poussé par la mer, si vite et si délicatement. » Au début du XXᵉ siècle, le nageur olympique Duke Kahanamoku fera des démonstrations de ce sport à l'occasion de nombreuses tournées et c'est à lui que l'on attribue la généralisation de la pratique du surf en Amérique et en Australie.

✳

✳   Photographie de Charles
Kauha portant une planche
de surf alaia, plage de Waikiki,
Hawaï, États-Unis, Frank
Davey, v. 1898

✳   Iceberg de Hall Bredning,
Groenland, photographié depuis la
goélette polaire « Persévérance »,
Elsa Guillaume, 21 août 2023

L'eau

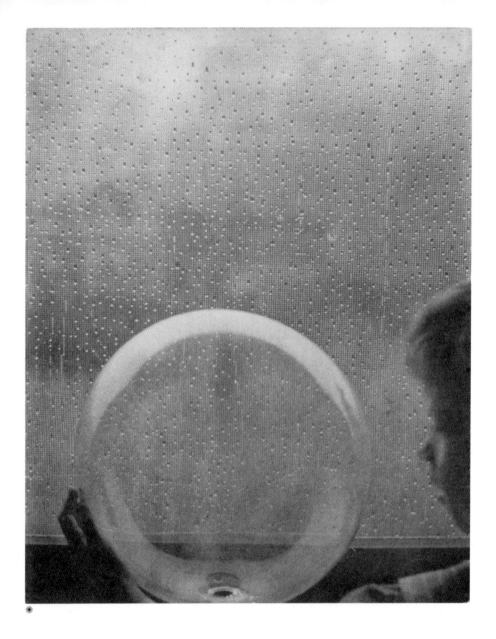

✳

Drops of Rain, impression au platine-
palladium, Clarence H. White, v. 1903

✳

Larmes, épreuve à la gélatine
argentique, Man Ray, v. 1932

« *L'éclaboussement d'une goutte est une transaction qui s'accomplit en un clin d'œil.* »

A. M. Worthington, *The Splash of a Drop*, 1895

*

« *Une goutte d'eau suffit pour créer un monde.* »

Gaston Bachelard, *L'Eau et les rêves – Essai sur l'imagination de la matière*, 1942

✳

✳ Le Christ endormi pendant la
tempête, Eugène Delacroix,
v. 1853

✳ Krishna et Radha se promenant
sous la pluie, Jaipur, Rajasthan,
Inde, v. 1775

Carte de la ville de Ferrare avec les six fleuves qui se jettent dans le golfe de Venise », *Kitāb-i bahriye* (Livre de navigation), Piri Reis, composée à l'origine au XVIᵉ siècle ; la présente carte provient du manuscrit augmenté datant des XVIIᵉ-XVIIIᵉ siècles.

Le Baptême du Christ, Simon Bening, 1525-1530

*

« *Ainsi, l'eau est un élément et une mère,
une semence et une racine de tous les minéraux.* »

Paracelse, *De mineralibus*, v. 1526-1527

DANS LA MYTHOLOGIE JAPONAISE, Ryūjin est le roi dragon et le dieu de la mer. Il vit dans un palais de corail rouge et blanc bâti dans les profondeurs de la mer avec ses filles et d'autres esprits de l'eau. De là, il contrôle les marées grâce à des « joyaux magiques ». Jingū, une reine guerrière qui, selon la légende, régna en tant qu'impératrice-régente du Japon à la mort de son mari, l'empereur Chūai, en 200 av. J.-C., dirigea l'invasion de la péninsule coréenne grâce à des joyaux de marée empruntés à Ryūjin, des joyaux magiques qui lui permirent, par la maîtrise des marées, d'établir la domination japonaise sur la Corée.

❊
Vase de dieu de la pluie, Mixtèques,
El Chanal, Colima, Mexique,
v. 1100-1400

✱
Gravure sur bois représentant
l'une des filles du roi dragon qui
vit au fond de la mer, Japon,
Utagawa Kuniyoshi, 1832

✱

« À une époque où l'homme a oublié ses origines et s'est même rendu aveugle aux facteurs les plus essentiels de sa survie, l'eau comme bien d'autres ressources est devenue victime de son indifférence. »

Rachel Carson, *Printemps silencieux*, 1962

✳︎

*

« *Marcher jusqu'au lieu où tarit la source,*
Et attendre, assis, que se lèvent les nuages. »

Wang Wei, « Mon refuge au pied du mont Chung-Nan », VIIIe siècle

✳

« *C'est ainsi qu'au bord de l'eau*
Un autre monde au-dessous de moi ;
Et tandis que les vastes et nobles cieux
Inversés y abusaient mes sens,
J'imaginais que d'autres pieds
Venaient aux miens les toucher. »

Thomas Traherne, « Shadows in the Water » (Ombres dans l'eau), XVIIᵉ siècle

*

※
Deer Drinking,
Winslow Homer, 1892

✳
AV_Central_Irrigation_008,
Bernhard Lang, 2015

TABVLA
ANEMOGRA
PHICA
seu
PYXIS NAVTICA
Ventorum nomina fex lin:

3. L'air

« Le désir de voler est une idée qui nous a été transmise par nos ancêtres qui, dans leurs voyages éreintants à travers des terres sans piste à l'époque préhistorique, regardaient avec envie les oiseaux s'envolant librement dans l'espace, à toute vitesse, au-dessus de tous les obstacles, sur l'autoroute infinie de l'air. » *

❋
Tabula Anemographica (Rose des vents ; carte anémographique des vents), Jan Jansson, 1652

✳
Wilbur Wright, discours prononcé le 5 novembre 1908

D ans la philosophie chinoise, le concept de Qi ou Chi est similaire à celui de l'air. Signifiant « flux d'énergie », « air » ou « souffle », le Qi est la force vitale qui parcourt toutes les choses. Dans le bouddhisme, l'air est *Om*, source de concentration pour la méditation, et dans l'hindouisme, il est *prana*, le souffle vital. L'air est associé au chakra du cœur, *anahata*, qui signifie « non frappé » ou indestructible. Le mot grec *spiro*, qui signifie souffle, est également associé à un vent tempétueux et à un vecteur de mouvement. Selon Aristote, les qualités de l'air sont l'humidité et la chaleur ; parmi les sphères élémentaires, l'air occupe une place intermédiaire entre le feu et l'eau, étant plus pur que la terre et l'eau, mais moins que le feu. La théorie des correspondances l'associe au printemps et au tempérament sanguin, et son dieu planétaire est Zeus. En alchimie, l'air représente l'esprit et l'âme de l'humanité. Il est mouvant, transparent, invisible, sauf sous forme de nuages, et informe. La diffusion de la vapeur d'eau dans l'air est à l'origine du bleu du ciel et des arcs-en-ciel.

Selon Aétius, le philosophe grec du Ier siècle apr. J.-C., Anaximandre de Milet (v. 611-547 av. J.-C.) affirmait que le tonnerre et les éclairs, les cyclones et les tornades étaient provoqués par ce qu'il appelait le *pneuma*, un terme qui signifie tout à la fois souffle, vent, esprit et air en mouvement, même si le philosophe présocratique ne considérait pas l'air comme l'élément sous-jacent. Le successeur d'Anaximandre, Anaximène (v. 546-528/5 av. J.-C.), était allé plus loin : le philosophe Théophraste (v. 372-286 av. J.-C.), contemporain d'Aristote, rapporta en effet qu'Anaximène concevait l'air comme une substance illimitée qui enveloppait la Terre et en constituait l'élément premier. Anaximène observait en outre que l'air était soumis à des changements : par raréfaction, il se transformait en feu, et par

Couverture amérindienne (Tlingit ou Haida) à boutons en forme d'oiseau-tonnerre, 1870-1890

condensation, en eau et nuages. Il croyait qu'en se condensant davantage, l'air devenait de la terre, puis de la roche. En somme, l'air pouvait se transformer en d'autres éléments, à l'origine de toutes les formes naturelles. L'air était également associé à des qualités telles que l'humidité, le mouvement, l'odeur et la couleur. Anaximène considérait l'air comme d'ordre divin, établissant un parallèle entre la manière dont l'air opère dans le monde physique et la manière dont l'âme humaine, également constituée d'air, œuvre dans le corps.

Le vent n'est autre que l'air qui se déplace. Dans la mythologie nordique, Thor était le dieu de l'air, du vent et de la pluie, du tonnerre et de la foudre, ainsi que des récoltes. Dans les mythes hindous, Rudra est le dieu des tempêtes et des vents et le père d'un ensemble de dieux appelés Rudras, généralement décrits comme féroces et destructeurs. Dans la croyance yoruba, Sàngó est l'*orisha* (esprit) de la foudre et du tonnerre ; il est à la fois craint pour ses pouvoirs destructeurs et vénéré pour son courage. Dans la mythologie grecque, Zeus est le dieu du ciel et de la foudre. Surnommé, entre autres, « assembleur de nuées » dans l'*Odyssée* d'Homère, il est responsable des conditions météorologiques telles que le tonnerre, les éclairs et les tempêtes. Il place également des arcs-en-ciel dans les nuages en guise de signes pour les humains. Le panthéon grec comprenait plusieurs divinités du vent ou *Anémoi* : Borée, personnification du vent du nord, Zéphyr, du vent d'ouest, Notos, du vent du sud, et Euros, du vent de l'est.

Dans la mythologie nordique, les nuages sont les pensées de la première créature vivante, un *jotunn* (géant) nommé Ymir. Les Grecs de l'Antiquité croyaient que les dieux résidaient dans les nuages, bien que Thalès de Milet eût décrit une version du cycle de l'eau selon laquelle l'eau s'évapore de la surface de la Terre et s'élève pour se condenser en nuages. Dans sa comédie *Les Nuées*, jouée pour la première fois en 423 av. J.-C., le dramaturge grec Aristophane pose la question suivante : « Où as-tu jamais vu pleuvoir sans Nuées ? »

Dans le *Meghadūta (Le Nuage messager)* – un poème lyrique en sanskrit datant du Vᵉ siècle dû à Kālidāsa –, un *yaksa* (sorte de génie) exilé dans les montagnes se lamente d'être séparé de son épouse. Lorsqu'un nuage s'immobilise à proximité, il lui demande de transmettre un message à sa bien-aimée dans la lointaine ville d'Alaka. Il conseille au nuage de boire les embruns et l'eau de la rivière afin de produire des éclairs qui éclaireront son chemin, et de s'assurer qu'il ne soit pas léger au point d'être malmené par les vents.

Depuis des temps très anciens, les humains rêvent de voler. L'idée de construire des ailes pour imiter le vol des oiseaux apparaît pour la première fois dans la légende grecque de Dédale et de son fils Icare, emprisonnés sur l'île de Crète par le roi Minos. Pour s'échapper, Dédale fabrique deux

*
Crow in Flight, Eadweard Muybridge, 1887

paires d'ailes faites de plumes assemblées avec de la cire. Alors qu'Icare s'élève dans le ciel, il s'approche trop du soleil, la cire fond, ses ailes se disloquent et il tombe dans la mer. C'est au Vᵉ siècle de notre ère, en Chine, qu'a été inventé le cerf-volant, constitué d'une armature en bambou fendu recouverte de soie et agencée pour ressembler à un oiseau ou quelque créature mythique volante. L'utilisation de cerfs-volants transportant des êtres humains à des fins civiles ou militaires, voire de châtiment, est attestée pour la première fois au VIᵉ siècle de notre ère, toujours en Chine. Léonard de Vinci (1452-1519), grand polymathe de la Renaissance, est l'auteur de plus de cinq cents croquis accompagnés de notes détaillées relatifs à la nature de l'air, à l'étude des oiseaux en vol et à des « machines volantes », dont un parachute, un deltaplane et un ornithoptère – aéronef composé d'une grande plate-forme capable d'accueillir un équipage chargé de mettre en mouvement d'immenses ailes.

*

✴

« *Après cela, l'impératrice leur demanda quelle sorte
de subſtance ou de créature était l'air [...]
Certains y voyaient l'eau vive de l'air, et d'autres encore
l'air animé par la chaleur des aſtres.* »

Margaret Cavendish, duchesse de Newcastle, *The Description of a New World,
Called The Blazing World*, 1966

Above the Clouds I,
Georgia O'Keeffe,
1962-1963

✻ « Le tout nouveau nuage s'élève de la terre » (détail), *Das Buch der natürlichen Weisheit* (Le livre de la sagesse naturelle), Ulrich von Pottenstein, v. 1430

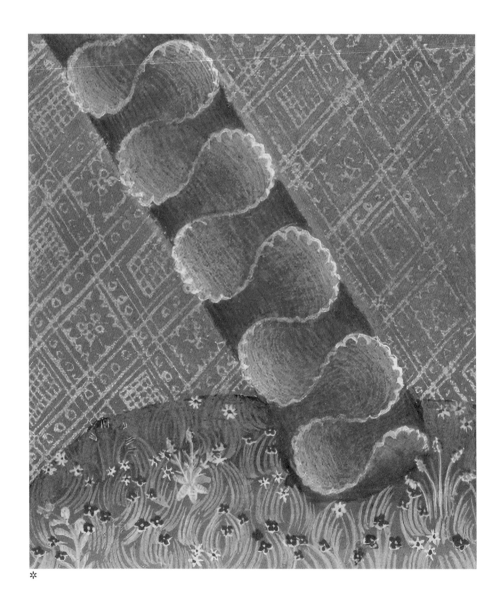

✻

DÈS LE XIIIE SIÈCLE, UN BROUILLARD SATURÉ DE POLLUTION devint une caractéristique désagréable de l'air londonien, un phénomène qui s'aggrava progressivement au fur et à mesure que la ville prenait de l'ampleur et utilisait sans cesse plus de charbon. La vapeur d'eau se fixe sur les particules libérées par la combustion du charbon, créant une brume polluée au-dessus de la ville. À partir de la fin du XVIIIe siècle, des années marquées par le développement rapide de l'industrialisation, l'incidence de ces *peasoupers* (purée de pois) augmenta, impactant de plus en plus gravement la santé des habitants. Au début du XIXe siècle, les pierres tombales indiquaient quand le décès était dû au brouillard. Le terme « *smog* » (contraction de *smoke* et de *fog*, fumée et brouillard) sera employé pour la première fois au début du XXe siècle. En décembre 1952, un épisode de smog particulièrement dévastateur eut lieu à Londres durant cinq jours : un anticyclone (phénomène par lequel les vents circulent autour d'un centre de haute pression atmosphérique), situé au-dessus de la région, a piégé l'air fortement pollué juste au-dessus du niveau du sol. Outre une visibilité quasi nulle, les cas de pneumonie et de bronchite se multiplièrent, entraînant la mort d'environ 4 000 personnes.

*

＊
Photographie d'un homme se
cramponnant à un arbre pendant
l'ouragan Carol, Brooklyn, New York,
États-Unis, 31 août 1954

*
Julie Harrison, de Hulton Press,
essaie un masque de protection
pour lutter contre les effets du
smog londonien, photographie
de Carl Sutton, novembre 1953

L'air

✳

DANS LA PLUPART DES TRADITIONS POLYTHÉISTES, le tonnerre
est personnifié par une divinité. Raijin, le dieu japonais du tonnerre
est représenté comme étant un féroce et puissant démon entouré de
tambours. Il est parfois représenté avec seulement trois doigts : le passé,
le présent et le futur. Il frappe ses tambours avec de gros maillets pour
produire le son du tonnerre. Les illustrations le montrent le plus souvent
aux côtés de Fūjin, le dieu du vent. Dans la mythologie chinoise, le dieu
du tonnerre Lei Gong tient lui aussi un maillet pour produire le tonnerre
avec un tambour, mais il brandit également un ciseau pour punir les
personnes qui se conduisent mal.

✳

Masque Otobide, représentant
peut-être le dieu du tonnerre,
Japon, XIXᵉ siècle ou avant

✳

Sculpture de Raijin (dieu
du tonnerre, de la foudre
et des tempêtes), Japon,
XVIIᵉ-XIXᵉ siècle

✳

ÉLÉMENTS

Allégorie de l'air, Jan Brueghel l'Ancien, 1611

L'air

« *Le corps de l'oiseau est fait de l'air qui l'entoure,*
sa vie est faite du mouvement qui l'emporte. »

Gaston Bachelard, *L'Air et les songes*, 1965

＊ Tambour de danse des esprits
représentant Thunderer, souverain
du monde céleste, Pawnee, Oklahoma,
États-Unis, George Beaver, 1891-1892

＊ Détail d'un furisode (kimono à
manches longues) représentant
des grues en vol, Japon, 1910-1930

＊

✳

※
Wind Tunnel Construction,
Fort Peck Dam, Montana,
Margaret Bourke-White, 1936

❋
Wind Fire, Thérèse
Duncan on the Acropolis,
Edward Steichen, 1921

« *Car le souffle de la vie est dans la lumière du soleil*
et la main de la vie est dans le vent. »

Khalil Gibran, *Le Prophète*, 1923

*

« *Je traverse les pores des mers et des rivages,*
Et change, mais je ne puis mourir. »

Percy Bysshe Shelley, « Le Nuage », 1820

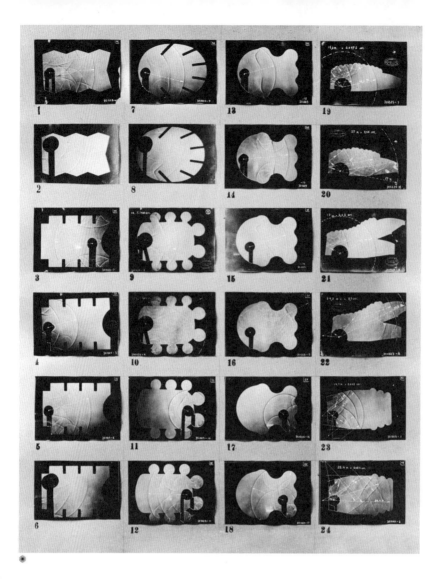

« Elle est douce, la terre, aux vœux des naufragés, dont Poséidon en mer, sous l'assaut de la vague et du vent, a brisé le solide navire. »

Homère, *L'Odyssée*

 Planche de contact de photographies
d'ondes ultrasoniques, provenant
d'expériences acoustiques menées à
l'Institut d'acoustique appliquée de
l'ETH, Zurich, Suisse, Franz Max
Osswald, v. 1930

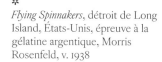 *Flying Spinnakers*, détroit de Long
Island, États-Unis, épreuve à la
gélatine argentique, Morris
Rosenfeld, v. 1938

*

*« Le nom de ciel a été aussi donné par nos ancêtres
à cet espace qui semble vide, et qui, sous le nom d'air,
répand le souffle de vie. »*

Pline l'Ancien, *Histoire naturelle*, livre II, chapitre XXXVIII, 77-79 apr. J.-C.

*

✻
Construction des forces
spatiales, Liubov Popova,
1920-1921

✽
Illustration de *La Tempête*
de William Shakespeare,
Arthur Rackham, 1926

L'air

*

« Vents, soufflez à crever vos joues ! faites rage ! soufflez !
Cataractes et ouragans, dégorgez-vous
Jusqu'à ce que vous ayez submergé nos clochers
et noyé leurs coqs ! »

William Shakespeare, *Le Roi Lear*, acte III, scène II, l. I-II, 1606

✱
Diapositive montrant une tornade
à Waynoka, Oklahoma, États-Unis,
17 mai 1898, conférence Work of
Wind, Weather Bureau

✳
inderwelt (détail d'un triptyque),
Tamas Dezsö, 2022

✳

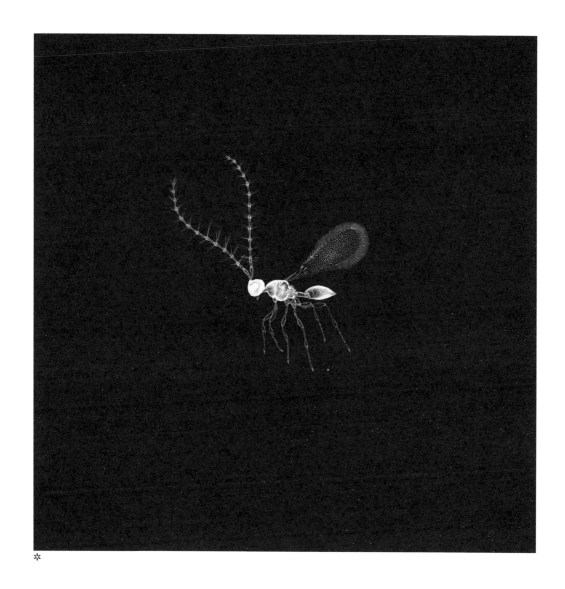

＊

C'EST EN OBSERVANT LES OISEAUX VOLER que l'homme a commencé à rêver d'en faire autant. Et c'est donc naturellement en imitant les mécanismes du vol des oiseaux que les pionniers de l'aviation se sont lancés dans l'aventure. La mythologie grecque raconte que Dédale et Icare s'attachèrent aux bras d'immenses ailes faites de plumes, de branches d'osier et de cordes fixées avec de la cire d'abeille pour pouvoir voler. Malheureusement, Icare s'approcha trop du soleil dont la chaleur fit fondre la cire d'abeille, et il tomba dans la mer où il se noya. Les savants du Moyen Âge et du début des temps modernes qui, équipés d'ailes, s'élançaient depuis des structures élevées, se brisaient généralement les os, s'ils ne se tuaient, à l'atterrissage. Léonard de Vinci conçut un ornithoptère – une machine volante dotée d'ailes battantes – après avoir minutieusement étudié le vol des oiseaux. Les esquisses de son invention montrent le pilote qui, allongé sur une planche, actionne de grandes ailes à l'aide d'un système de leviers, de poulies et de pédales. Un ornithoptère capable de voler mais non de transporter une personne fut construit pour la première fois en France en 1871 par Jobert, au moyen d'un élastique qui faisait tourner une manivelle propulsant l'appareil. Les concepteurs d'aéronefs modernes continuent de s'inspirer des oiseaux, comme en témoigne le concept d'avion hybride baptisé « Oiseau de proie » dévoilé par Airbus en 2019.

＊

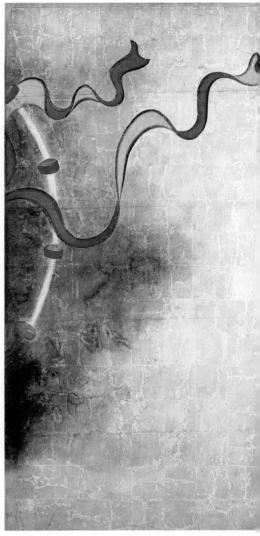

« *Maintenant je l'ai ressenti —*
Quelque chose qui dépasse les vents d'une tempête. »

Empereur Fushimi, au sujet de l'idée de « pins en fin de journée »,
Fuga wakashu (Collection élégante), 1346

Paravent en papier à quatre panneaux
représentant Raijin (dieu du tonnerre, de
la foudre et des tempêtes) et Fujin (dieu du
vent), Japon, Ogata Korin, v. 1700, réplique
du paravent de Tawaraya Sotatsu datant du
début du XVIIᵉ siècle

L'air

DANS LES ANNÉES 1930, LA RÉGION DES Grandes Plaines du sud-ouest
des États-Unis connut plusieurs vagues de sécheresse sévère. Les colons,
encouragés dès 1904 par le gouvernement américain à s'installer sur ces terres
semi-arides et à les cultiver, avaient immédiatement entrepris de convertir
les prairies en terres cultivables en labourant profondément la couche arable
sur de vastes étendues. Lors de plusieurs épisodes de sécheresse dans les
années 1930, des vents violents soulevèrent la terre sèche et meuble, projetant
d'énormes nuages de poussière sur les plaines ; la visibilité était réduite à un
mètre, et dix-neuf États prirent l'allure d'une vaste cuvette de poussière, ou
dustbowl. Incapables de cultiver leurs terres, des dizaines de milliers de familles
furent contraintes d'abandonner leurs fermes et de devenir des travailleurs
itinérants. Grâce à la plantation d'arbres formant des brise-vent, la région put
finalement se rétablir.

✳

✻

✻ Photographie d'un fermier et de ses
fils bravant une tempête de poussière,
comté de Cimarron, Oklahoma, États-
Unis, Arthur Rothstein, avril 1936

✱ *Sandstorm over Pyramids*, épreuve
à la gélatine argentique, Alfred
G. Buckham, années 1920-1930

※

« Qui a vu le vent ?
Ni vous ni moi :
Mais quand les arbres courbent la tête
C'est le vent qui est là. »

Christina Rossetti, « Who Has Seen the Wind? »,
(Qui a vu le vent ?), *Sing-Song : A Nursery Rhyme Book*, 1872

❋

*

« *Une lune en croissant à la poupe, le grand navire,*
d'abord pareil à un fantôme venu du Nord, puis
tel un puissant poisson argenté nageant dans la mer
bleue du ciel, flottait... »

« Zep set to hop from L.A.; flies over city tonight », *Los Angeles Evening Express*,
26 août 1929

Suspended, Roger Ballen,
2012

Le dirigeable USS Macon en
cours de construction, fin années
1920-début années 1930

L'air

ÉLÉMENTS

A Sudden Gust of Wind (after Hokusai), Jeff Wall, 1993

L'air

❋

Breath/ng, installation
absorbant les polluants,
Kengo Kuma and Associates,
2018

✱

Photographie autochrome de
montgolfières, Grand Palais, Paris,
Léon Gimpel, 1909

❋

*

LE PREMIER BALLON À AIR CHAUD fut mis au point par les frères Montgolfier, Joseph et Étienne. Le 4 juin 1783, devant un groupe de notables, leur ballon en forme de globe, confectionné avec de la toile de coton et contenant 790 m³ d'air, fut lancé à Annonay, en Ardèche, entraîné dans les airs par un feu de laine et de paille humide. Il vola dix minutes. En collaboration avec le fabricant de papiers peints Jean-Baptiste Réveillon, ils construisirent un ballon suffisamment grand pour transporter une personne dans un panier suspendu. Le 15 octobre 1783, Étienne Montgolfier fut la première personne à être soulevée du sol lors d'un vol d'essai captif depuis les jardins de la fabrique de Réveillon à Paris.

✳

✳
Illustration des quatre vents, tirée
de *Bellifortis* (Fortifications de
guerre), Konrad Kyeser, 1400-1450

✳
De rode wolk (Le Nuage rouge),
Piet Mondrian, 1907

« [L]a nuit sombre descend des vastes régions célestes.
Au même instant se précipitent avec fureur l'Eurus,
le Notus, le violent Zéphyr, et le Borée glacial,
soulevant et roulant des flots immenses. »

Homère, *L'Odyssée*, v. 725-675 av. J.-C.

❋

❋
Photographie d'un vendeur
de ballons, Serge de Sazo,
probablement début années
1960

✳
« Aréthuse (cachée dans un
nuage) », in *Ars Algebra et analytica
ac alma cabula*, Jodocus Müller,
fin XVIIe siècle

« Au-delà de nos regards, vous comptez vous élever –
Et ce Ballon, d'une taille extraordinaire,
Semblera à notre œil étonné,
Un atome qui flotte dans les airs. »

Philip Freneau, « To Mr. Blanchard, the Celebrated Aeronaut », 1816

※

« *Toute vie est condamnée alors qu'un abominable
monstre naît de l'immondice de la pollution.* »

Accroche publicitaire du film *Godzilla vs Hedorah*, 1971

❋
Image tirée du film *Godzilla vs. Hedorah*
(sorti aux États-Unis sous le titre
Godzilla vs. the Smog Monster), 1971

✳
[Équivalent, A3 of series A1],
épreuve à la gélatine argentique,
Alfred Stieglitz, 1926

✳

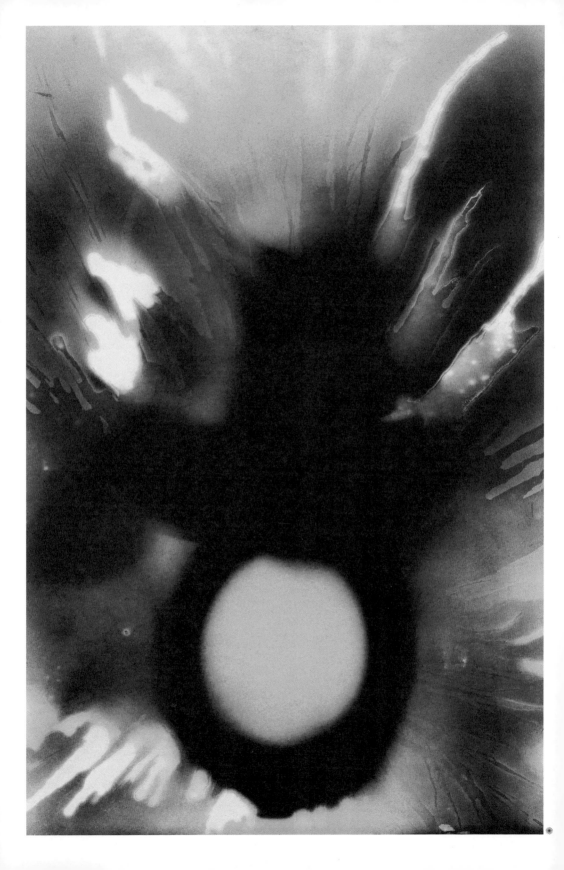

4. Le feu

« *Le feu est le symbole naturel
de la vie et de la passion, bien
qu'il soit le seul élément dans
lequel rien ne saurait vivre.
Sa mobilité et son ardeur,
sa chaleur et sa couleur en
font un symbole irrésistible
de tout ce qui est vivant, sensible
et actif.* » *

*
Peinture de Feu (F67), papier
brûlé monté sur panneau
de bois, Yves Klein, 1962

❋
Susanne K. Langer,
*Philosophy in a New Key:
A Study in the Symbolism of
Reason, Rite and Art*, 1942

Tout autant destructeur que source de bien-être et de création, le feu n'a cessé, depuis les temps les plus reculés, de terrifier l'humanité mais aussi de contribuer à sa survie. Au VIᵉ siècle av. J.-C., le philosophe grec Héraclite d'Éphèse estimait qu'il s'agissait de l'élément originel dont tous les autres éléments étaient issus. Pour lui, tout dans l'univers était en constantes mutation et métamorphose. Dans son ouvrage intitulé *De la nature*, il énonçait la théorie selon laquelle le feu se transforme en eau (pluie), laquelle se transforme en terre, le feu étant formé à nouveau par des quantités égales de terre et d'eau, et ce dans un cycle continu. Il soutenait qu'un flux constant entre les opposés existait et qu'il était crucial de maintenir un équilibre.

On retrouve ces deux aspects du feu, destructeur et source de création, dans les mythologies du monde entier. Kagutsuchi est le dieu shintoïste du feu, également connu sous le nom de Homusubi, « celui qui allume les feux ». Selon le *Kojiki (Recueil des choses anciennes)* et le *Nihon Shoki (Chronique du Japon)* du VIIIᵉ siècle, Kagutsuchi est né de deux dieux créateurs shintoïstes, mais sa chaleur était si puissante qu'il a tué sa mère en naissant. Horrifié, son père le décapita et plusieurs nouveaux dieux surgirent de son sang. Dans une autre version de l'histoire, son père l'a découpé en huit morceaux qu'il a dispersés dans tout le pays, donnant naissance aux huit principaux volcans du Japon. Dans un pays où les constructions étaient en bois et papier, le feu était un danger permanent : deux fois par an se tenait dans l'ancien Japon une cérémonie, *Ho-shizume-no-matsuri*, visant à apaiser Kagutsuchi et à tenir le feu à distance. Dans la mythologie grecque, Héphaïstos, dieu du feu et de la métallurgie, fabrique des armes pour les dieux. Son équivalent romain, Vulcain, est plus étroitement associé au côté destructeur

du feu. Les fidèles de Vulcain lui adressaient des supplications dans l'espoir de prévenir les incendies.

Le thème du vol du feu, le plus souvent au profit de l'homme, est très présent dans les mythologies anciennes. Le Titan grec Prométhée déroba le feu de la forge olympienne pour le donner aux hommes afin qu'ils puissent cuire leurs aliments et se chauffer. Dans la mythologie yoruba, Ogun est le patron des forgerons, du fer et des armes ; il aurait partagé sa connaissance du feu et des métaux avec les humains afin qu'ils puissent fabriquer des outils pour défricher les forêts et chasser les animaux. Dans la tradition maorie, le héros mythique Maui s'introduit par la ruse dans le monde souterrain et persuade le dieu du feu Mahuika de lui montrer comment faire du feu. La conflagration qui en résulte se répand dans le monde souterrain et atteint le monde supérieur, où les gens commencent à utiliser les flammes pour cuisiner. Maui retourne ensuite dans le monde supérieur où il transmet son savoir à d'autres.

Le culte du feu occupe une place centrale dans certaines religions. Selon le *Rig-Veda*

✳

(recueil de textes datant d'environ 2000-1700 av. J.-C.), la période mythologique la plus ancienne était dominée par Agni, le dieu du feu, et Varuna, le dieu du ciel. Agni est la personnification du feu sacrificiel et transmet les messages entre les hommes et les dieux par le biais de la fumée des bûchers funéraires et des feux rituels qui transporte les prières des gens vers les cieux. Il est représenté avec deux visages, plusieurs langues, sept bras et trois jambes, tandis que ses cheveux se dressent sur la tête, telles des langues de flamme. Aujourd'hui, les adeptes du dieu hindou Brahma honorent Agni en entretenant un feu perpétuel dans l'âtre de leur maison. Le feu est au cœur de la foi zoroastrienne de l'Iran. Considérant que le feu a été donné aux hommes par le ciel, les disciples voient en lui la lumière de la sagesse qui dissipe les ténèbres de l'ignorance. Les prêtres entretiennent un feu sacré qui brûle en permanence dans les temples zoroastriens en y ajoutant quotidiennement du bois de santal. À la maison, les zoroastriens entretiennent un feu dans l'âtre pendant toute la durée de la vie du chef de famille.

Les rituels shintos incluent un feu purificateur appelé *kiri-bi*, obtenu par frottement de morceaux de *hinoki* (cyprès japonais). Dans l'hindouisme, le jaïnisme et le bouddhisme, le *homa* est un rituel cérémoniel qui consiste à offrir de la nourriture au feu. Le feu est allumé dans une sorte de brasero carré peu profond dont les côtés font face aux quatre points cardinaux et dans lequel les gens déposent des offrandes (plantes aromatiques, graines, encens) tout en récitant des mantras sacrés.

✳

Ce rituel célèbre les événements importants de la vie : naissances, mariages, décès...

Le solide platonicien du feu est le tétraèdre (pyramide à base triangulaire). Ses qualités aristotéliciennes sont le chaud et le sec, et sa saison l'été. Selon Galien, médecin gréco-romain de l'Antiquité, le feu correspond au tempérament colérique, c'est-à-dire à l'esprit vif et au caractère irascible. Il est associé au chakra du plexus solaire, ou *manipura* (la ville des joyaux), et représente le pouvoir individuel. Pour les wiccans, le feu est l'énergie masculine purificatrice, capable de créer ou de détruire, de guérir ou de blesser, d'apporter une nouvelle vie ou de détruire l'ancienne. Dans le domaine de l'alchimie, le feu est la principale méthode de conversion, la première étape de la transformation des matériaux de base en matériaux plus purs. Tout ce qui entre en contact avec le feu est transformé en bien ou en mal.

« *Ce donjon horrible, arrondi de toute part,*
comme une grande fournaise flamboyait.
De ces flammes point de lumière !
mais des ténèbres visibles. »

John Milton, *Le Paradis perdu*, 1674

✳

✳ *Vesuvius*, Andy Warhol, 1985

✳ *El Fuego*, José Clemente Orozco, 1938

❋

DE 1603 À 1868, IL ARRIVAIT RÉGULIÈREMENT que la ville d'Edo (aujourd'hui
Tokyo) connût des incendies majeurs, appelés *edo no hana*, ou fleurs d'Edo.
Les rues étroites et densément peuplées, ainsi que les bâtiments construits
majoritairement de bois, posaient un danger permanent d'incendie dans toute
la ville. À Edo, la lutte contre le feu relevait de l'effort collectif : tours de guet
érigées dans toute la ville, brigades de pompiers composées d'hommes de
chaque quartier et seaux remplis d'eau en prévision d'un éventuel incendie
devant chaque boutique. Les *Hikeshi*, ou pompiers, étaient des hommes
respectés quoique impétueux. Souvent couverts de tatouages, comme on
peut le voir dans les estampes *ukiyo-e*, ils portaient d'épais gants de coton
et des vestes matelassées richement décorées et imbibées d'eau ; leur tâche
consistait davantage à détruire les bâtiments entourant un feu actif qu'à
éteindre directement les flammes.

✳
Représentation du diable enlevant
une sorcière, traversant le feu
au galop, tirée des chroniques de
Johann Jacob Wick, Zurich, Suisse,
1560-1561

✳
« Enchû no tsuki » (Lune et fumée),
image 68 de *Tsuki hyakushi* (Cent
aspects de la Lune), Tsukioka
Yoshitoshi, 1885-1892

✳

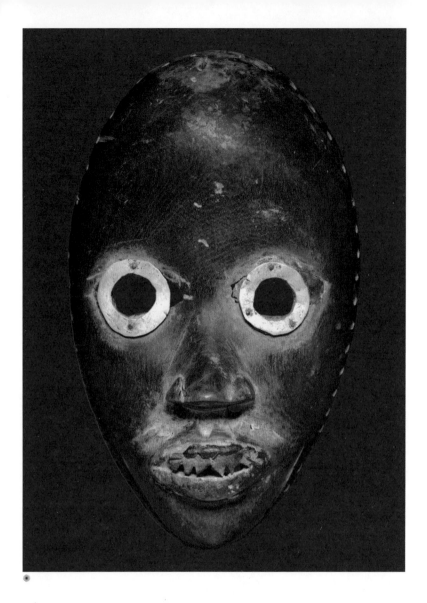

✳

LES MASQUES REPRÉSENTENT UNE FORME D'ART MAJEURE chez les Dan de
la Côte d'Ivoire et du Libéria. Connu sous le nom de *gle* ou *ge*, chaque masque
incarne une force spirituelle surnaturelle issue de la forêt obscure. La nature
et la raison d'être de l'esprit surnaturel sont d'abord révélées en rêve à un
membre initié des Dan, puis le masque et le costume correspondants sont
créés pour que l'homme les porte et se produise lors d'une cérémonie masquée.
Il existe quatre catégories de masques sacrés dan : les masques *gore* (ancêtres),
les masques *gesua* (vengeurs), les masques miniatures et les masques *sagbwe*
utilisés par les coureurs et les gardiens du feu.

※
Masque de style dan, sans doute
porté par un gardien du feu, Côte
d'Ivoire ou Libéria, Afrique de
l'Ouest, début XXᵉ siècle

Al Ahmadi Oil Fields, Kuwait,
Steve McCurry, 1991

※

PLATE 1.

THE SUN.

❋

❋
« The Sun », planche 1,
Electro Astronomical Atlas,
Joseph W. Spoor, 1874

✳
Dark Fire, Ithell Colquhoun,
1980

LE PHILOSOPHE GREC ANAXAGORE (v. 500-v. 428 av. J.-C.) fut l'un des premiers à proposer une théorie rationnelle et scientifique de la nature du soleil, de la lune et des planètes. Alors que les croyances mythologiques de l'époque affirmaient que le soleil était le dieu grec Hélios, chevauchant son char autour de la terre, Anaxagore soutenait qu'il s'agissait en fait d'un corps physique – une « pierre chauffée à blanc » – qui émettait lumière et chaleur. En outre, il proposa des explications scientifiques pour les éclipses et émit la théorie que la lune était « un grand rocher » et qu'elle n'émettait pas sa propre lumière mais reflétait celle du soleil. C'est ainsi qu'il posa les fondements de la connaissance scientifique du cosmos ; cependant, pour avoir défié les croyances dominantes de l'époque, il fut accusé d'impiété. Bien que condamné à mort dans un premier temps, Anaxagore fut finalement exilé d'Athènes.

*

＊

Green Mountain (Montagne verte),
Akio Takamori, 2015

✳

Illustration extraite de la traduction
persane de *Ajā'ib al-Makhlūqāt va
Gharā'ib al-Mawjūdāt* (*Les Merveilles
des choses créées et les curiosités des choses
existantes*) de Zakariya al-Qazwini,
Shūmā, achevée en 1632

« *Bientôt, cette détresse qui me consume prendra fin ! Je vais monter triomphalement sur mon bûcher funéraire et j'exulterai dans la torture des flammes dévorantes. Puis, leur éclat s'éteindra et mes cendres seront balayées par le vent jusqu'à la mer.* »

Mary Shelley, *Frankenstein ou le Prométhée moderne*, 1818

*

Le feu

Illustration représentant Los
assis, appuyé sur son marteau,
dans *The Song of Los*, William
Blake, 1795

Pompier, épreuve à l'albumine
argentique colorée à la main,
Japon, Kusakabe Kimbei,
années 1870-1890

*

« *Par la force du feu le forgeron pénible*
Rend le fer plus dur beaucoup moins résistant ;
Dès lors le lourd marteau qui le frappe, inflexible,
arrive à lui donner la forme qu'il entend. »

Edmund Spenser, *Amoretti*, Sonnet XXXI, 1595

« *Une morsure déchira le cœur de Zeus qui tonne*
dans les hauteurs et son âme s'irrita, lorsqu'il vit,
chez les hommes, la lueur éclatante du feu. »

Hésiode, *Théogonie*, v. 730-700 av. J.-C.

*

*

Katen (dieu du feu), l'un des
douze rouleaux de soie suspendus
représentant les douze dévas,
Kyoto, Japon, 1127

*

Prométhée, Peter Paul Rubens, 1636

Le feu   179

« *Un Syrien, dont le nom était Eunus [...] appela les esclaves [...] aux armes et à la liberté. Pour prouver qu'une divinité l'inspirait, cet homme, cachant dans sa bouche une noix remplie de souffre allumé, et poussant doucement son haleine, jetait des flammes en parlant.* »

Florus, *Abrégé de l'histoire romaine*, livre III, chapitre VII, « Guerre contre les esclaves », v. Iᵉʳ siècle apr. J.-C.

*

Paris, France, 1967, tirage dye transfer, Joel Meyerowitz, tirage 1983

✳

Birkenhead, Nick Wynne, 1989

✹
Illustrations provenant d'un catalogue
de feux d'artifice, Japon, v. années
1880

✱
Tableau représentant des femmes
allumant des feux d'artifice à l'occasion
de Diwali, Rajasthan, Inde, XVIIIᵉ siècle

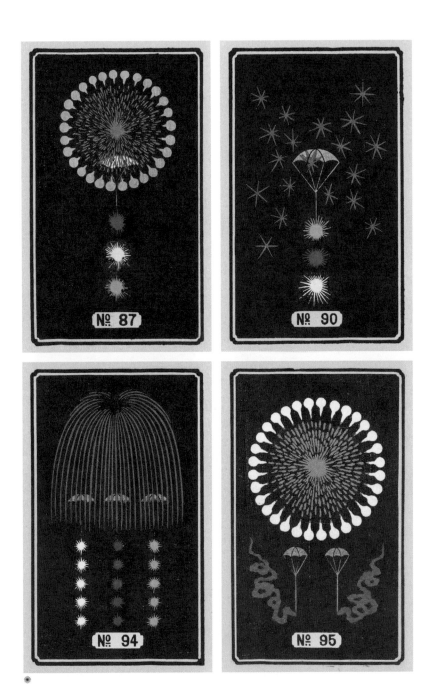

✹

*

« *Solitude*
Après le feu d'artifice
Une étoile filante. »

Masaoka Shiki, 1920

✹
Photographie d'un immeuble en
flammes, Kankakee, Illinois, États-
Unis, épreuve à l'albumine argentique,
Charles Knowlton, 1ᵉʳ mai 1887

✱
Photographie d'une brigade de pompiers,
Istanbul, Turquie, épreuve à l'albumine
argentique, années 1850-1890

*

« *Vive la ville sans incendie, aux nuits calmes ! [...] le dernier à rôtir, c'est celui qui n'a entre lui et la pluie que les tuiles [...].* »

Juvénal, *Satire III*, fin Ier siècle-début IIe siècle apr. J.-C.

*La Madeleine aux deux
flammes*, Georges de la Tour,
v. 1640

Woman with Orange Flares,
série « Women and Smoke »,
Judy Chicago, 1972

*

« Ils ont passé au feu et ce que le feu ne détruit pas, il le durcit. »

Oscar Wilde, *Le Portrait de Dorian Gray*, 1890

✳

Self-Portrait, Ralph Bartholomew, années 1940

✱

« Mr. Tesla and his Marvelous Wireless Light »,
publié dans « An Interview with Nikola Tesla,
Electrical Wizard », *Electrical Experimenter*, 1915

✳

« *Un simple rayon de lumière d'une étoile lointaine arrivant aux yeux d'un tyran d'une époque révolue a peut-être changé le cours de sa vie, peut-être changé le destin des nations, ou peut avoir transformé la surface du globe. Si intriqués, si inconcevablement complexes sont les processus de la nature.* »

Nikola Tesla, *Sur la lumière et les autres phénomènes de haute fréquence*, 1893

*

✸

Enluminure représentant
un phénix, tirée du Bestiaire
d'Hugues de Fouilloy, France,
v. 1270

✳

Dark Water, Burning World, garde-
boue en acier de bicyclette recyclé,
allumettes et résine transparente,
Issam Kourbaj, 2016

« Le feu surviendra pour tout juger et saisir. »

Héraclite, fragment 66

*

« *Un être se rend libre en se consumant pour se renouveler,*
en se donnant ainsi le destin d'une flamme. »

Gaston Bachelard, *La Flamme d'une chandelle*, 1961

✺
Image représentant l'esprit
de Mars, Chine, v. 1801-1850

✻
Illustration du feu sacrificiel,
tirée du *Bhagavata Purana*
« Tula Ram », v. 1720

✻

※ *The Burning of the Houses of Lords and Commons, 16 October 1834*, Joseph Mallord William Turner, 1835

✳ *Rabia*, Paulina Castro Valdez, 2022

※

ÉLÉMENTS

*

« *Il faut que tu veuilles te brûler dans ta propre flamme : comment voudrais-tu te renouveler sans t'être d'abord réduit en cendres !* »

Friedrich Nietzsche, *Ainsi parlait Zarathoustra*, 1883

Le feu

＊
Volcano, photographie trouvée
et collage sur papier, Lorna
Simpson, 2023

✻
Tod und Feuer (La mort et le feu),
huile sur toile, Paul Klee,
1940

« *Tu es poussière et tu retournes à la poussière,*
Une étincelle de feu dans la glaise qui pulse. »

Mary Coleridge, « Self-question », 1892

*

« *Les jeunes hommes s'élancent pleins d'ardeur sur la côte d'Hespérie. Certains cherchent les germes de feu cachés dans les veines du silex.* »

Virgile, *L'Énéide*, chant VI, v. 19 av. J.-C.

*

Encensoir représentant
Quetzalpapalotl (dieu du feu),
Teotihuacan, Mexique,
200-700 apr. J.-C.

*
La Forge de Vulcain,
Giorgio Vasari, v. 1564

Le feu

✳

※ Photographie de travailleurs agricoles
à Camarillo, en Californie, pendant
l'incendie de Woolsey, Andy Holzman,
13 novembre 2018

✳ *Forest Fire*, Alexis Rockman,
2005

LES PLANTES PYROPHYTES PRÉSENTENT des caractéristiques inhabituelles qui leur permettent de résister, voire de prospérer, dans les endroits exposés aux incendies de forêt. Certaines sont notamment dotées d'une écorce épaissie, d'un tronc exceptionnellement haut et de tiges souterraines. D'autres, qualifiées de plantes pyrophiles, dépendent également du feu dans leur cycle de vie. Par exemple, les graines des arbres sérotineux sont protégées d'une couche de résine qui doit fondre pour être libérée en vue de la germination. De même, les graines de l'eucalyptus, dissimulées dans l'écorce, ont besoin du feu pour germer, tandis que les huiles hautement inflammables produites par l'arbre alimentent activement la propagation du feu.

*

5.   L'éther

« Le monde est rempli d'éther.
Il imprègne les interstices des
atomes. L'éther est partout.
Quelle est la densité de l'éther ?
Est-il fluide comme l'eau
ou rigide comme l'acier ?
À quelle vitesse notre terre
s'y déplace-t-elle ? » *

❋
Le chant du Tambour,
Solange Knopf, 2015

❊
Sir Arthur Eddington,
New Pathways in Science,
1935

C'est à Aristote que l'on doit l'invention de la doctrine de l'éther – matière dont sont faits les corps célestes selon lui – comme étant le cinquième élément. Les hindous appellent l'éther *akasha* : l'essence de toute chose dans le monde matériel. Pour eux, il était le premier élément, suivi de l'air, du feu, de l'eau et de la terre. Pour les Japonais, il s'agit du vide ou du ciel. Les alchimistes médiévaux parleront plus précisément de la quintessence, cinquième élément lumineux qui relie les quatre autres. Dans la Wicca, il représente la passerelle entre les domaines physique et spirituel, tandis que dans le microcosme, il fait le lien entre le corps et l'âme. Le solide platonicien associé à l'éther est le dodécaèdre, dont les douze faces représentent les douze constellations. L'éther est associé au chakra de la gorge, *vishuddha*, qui signifie purification.

Dans la mythologie grecque antique, Éther est un dieu primordial, personnifiant le ciel et la lumière. Selon Hésiode, auteur du long poème de la *Théogonie* au VIIIe siècle av. J.-C., Éther est le fils de Nyx, déesse de la nuit, et d'Érèbe, dieu des ténèbres. Héméra, déesse du jour, est sa sœur. Il personnifie également l'air supérieur pur des cieux respiré par les dieux. Le soir, Nyx dessinait un voile de brume sombre sur le ciel, dissimulant la présence d'Éther, brumes dissipées au matin par Héméra.

Les premiers philosophes grecs proposèrent plusieurs théories pour expliquer l'apparence des cieux. Héraclite (v. 500 av. J.-C.) décrivit les corps célestes comme des bols remplis de feu tournés vers la Terre. Le soleil était le plus brillant et la lune tournait lentement, donnant lieu aux phases lunaires. Au VIe siècle av. J.-C., Pythagore reprit les quatre éléments d'Empédocle et en ajouta un cinquième, une forme très pure de feu dessinant une orbite circulaire et s'élevant pour former les cieux. Anaxagore (v. 500-v. 428 av. J.-C.) pensait quant à lui que les corps célestes étaient des pierres ardentes, trop éloignées pour que leur chaleur soit ressentie sur Terre.

Aristote divisait l'univers en deux régions : une région terrestre située sous la lune, et une région céleste située au-dessus, laquelle était remplie d'éther. Selon lui, l'éther était éternel et divin. Sa pureté variait cependant : au fur et à mesure que l'éther se rapprochait du monde sublunaire et des quatre éléments terrestres, il devenait de moins en moins pur. Aristote expliquait le mouvement des étoiles en affirmant que les planètes et les étoiles étaient fixées sur des sphères individuelles, lesquelles tournaient et entraînaient les planètes et les étoiles avec elles. Et si les étoiles semblaient scintiller la nuit, cela tenait au fait que la vision des humains était médiocre à si grande distance.

Au XVIIe siècle, le philosophe français René Descartes (1596-1650) utilisa le mot

« éther » pour décrire l'espace. Selon lui, les courants tourbillonnants de l'espace rassemblaient les particules qui formaient la matière et sculptaient des objets pleins. Plus tard, le terme sera utilisé pour désigner les idées relatives à une substance qui maintenait les étoiles et les planètes en place. Dans ses recherches sur la gravité, le physicien anglais Isaac Newton (1642-1727) avança l'idée qu'un milieu fort et élastique remplissait l'espace, et se demanda s'il ne s'agissait pas d'une force vivante.

Platon et Aristote avaient tous deux le sentiment qu'il existait un être intelligent immatériel au-delà du monde des hommes. Aristote pensait qu'une intelligence mettait en mouvement les planètes sur leur orbite, et, qu'au-delà de la sphère la plus éloignée des étoiles fixes, se trouvait un royaume insondable pour les humains. Les néoplatoniciens, à la recherche d'un lien dans la chaîne de l'être entre Dieu et les humains, proposèrent l'existence de messagers, ou anges, qui agissaient en tant que médiateurs entre les deux.

Le théologien italien saint Thomas d'Aquin (v. 1225-1274) consacra une importante partie de son ouvrage *Somme contre les Gentils* aux anges. Selon lui, ils étaient de purs esprits et se divisaient en trois groupes de trois ordres : les séraphins, les chérubins et les trônes étaient les plus proches de Dieu ; venaient ensuite les dominations, les vertus et les puissances ; les principautés, les archanges et les anges formaient les ordres les plus bas et jouaient le rôle de messagers et de protecteurs des humains.

Les efforts pour comprendre cet élément mystérieux se sont poursuivis

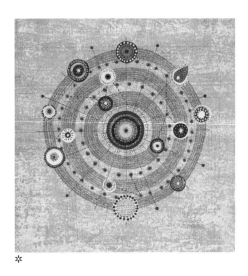

✱

jusqu'à l'époque moderne. Dans le sillage de l'aliénation résultant de l'urbanisation et des migrations massives de la fin du XIXe siècle, conjuguée aux lourdes pertes en vies humaines lors de la guerre de Sécession et de la Première Guerre mondiale, la croyance dans le spiritisme et la théosophie se répandit largement. Les gens souhaitaient croire que l'esprit d'une personne vivait après la mort et que les vivants pouvaient communiquer avec elle. Combinant des notions inspirées de la philosophie ésotérique, du bouddhisme et de l'hindouisme, la théosophie se fonde sur l'idée qu'un monde spirituel sous-tend le monde terrestre et que des guides spirituels sont capables de passer de l'un à l'autre. La plupart de ces derniers auraient vécu une série de vies antérieures, d'autres existeraient à l'état d'énergie pure dans le royaume cosmique.

❋

La Danse du papillon de nuit,
Paul Klee, 1923

✳

Les Poissons noctambules,
Max Ernst, 1972

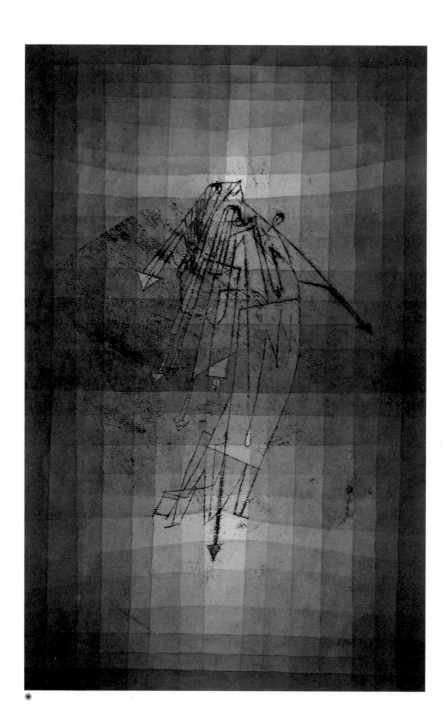

❋

*

« *Nous habitons tous une maison faite d'une seule pièce –
le monde avec le firmament pour toit.* »

John Muir, *John of the Mountains: The Unpublished Journals of John Muir*, 18 juillet 1890

« *Elle pouvait faire apparaître les esprits d'anciens parents ; son guide spirituel utilisait l'ectoplasme de son corps émanant de ses yeux, de ses oreilles, de son nez et de sa bouche pour former l'esprit.* »

John Maude (avocat de l'accusation), *The Trial of Mrs Duncan*
(Le procès de madame Duncan), 1945

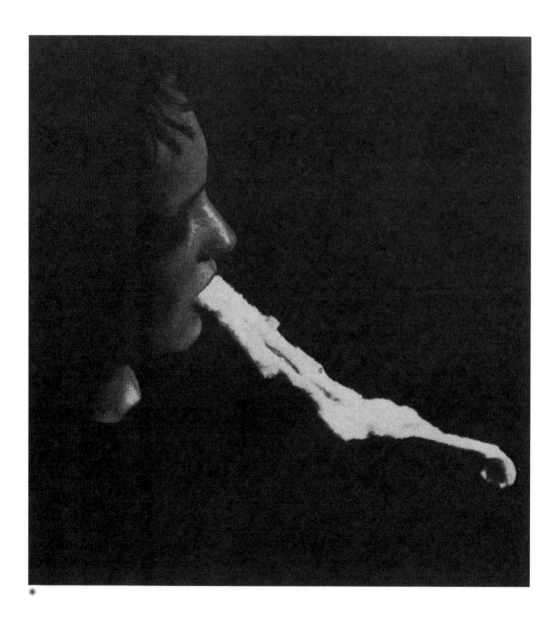

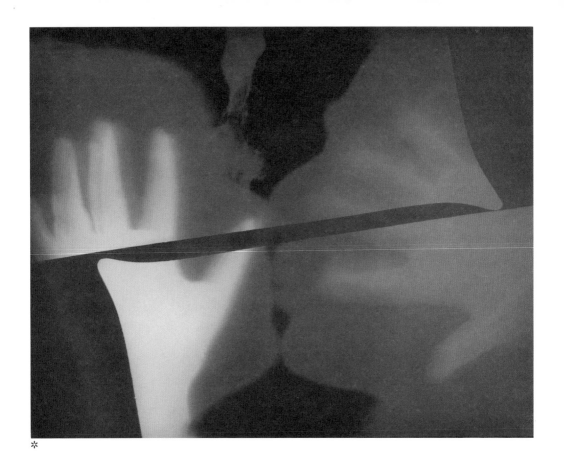

✳

✱
Stanislawa P. avec un ectoplasme
lors d'une séance de spiritisme
le 25 janvier 1913.photographie
d'Albert von Schrenk-Notzing

✳
Rayograph, épreuve à la gélatine
argentique, Man Ray, 1922

*

SELON LA CROYANCE THÉOSOPHIQUE, les formes-pensées sont des manifestations de la pensée humaine émises par le corps dans la sphère astrale, visibles seulement des personnes dotées d'un don de clairvoyance. Annie Besant et Charles Webster Leadbeater, les deux figures de proue du mouvement théosophique après la mort en 1891 de sa fondatrice Helena Blavatsky, coécrivirent plusieurs livres sur les croyances théosophiques, dont *Formes-Pensées*, publié en 1905. Selon Besant et Leadbeater, la couleur, la forme et les contours des manifestations des pensées humaines varient en fonction de la qualité des pensées et ont un impact direct sur les émotions, la santé et les relations humaines, soulignant notre interconnexion les uns avec les autres, le monde spirituel et l'univers.

✳

Image radiographique
numérique d'une
sculpture en bois de
l'archange Michel,
Finlande, 1511-1550

✳

Disque musical gravé
sur une radiographie,
Hongrie, années 1930

✳

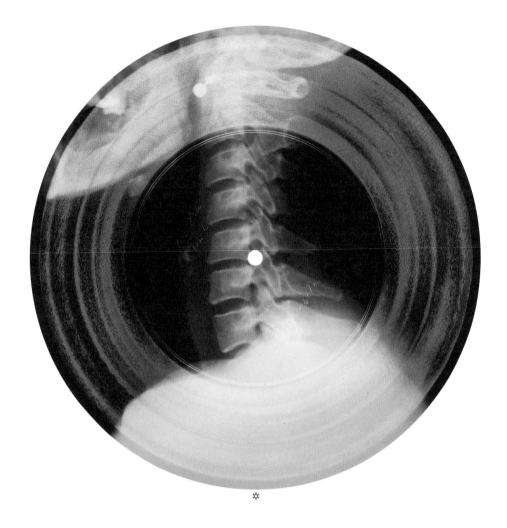

*

PENDANT LA GUERRE FROIDE (1947-1991), la musique occidentale, ainsi
que toute musique considérée comme subversive, était interdite en Russie
soviétique. Des communautés clandestines, déterminées à mettre la musique
bannie à la disposition des civils russes, se sont alors formées en réaction.
À partir d'un matériel de fortune, elles ont pressé des enregistrements pirates
sur des radiographiques médicales afin de créer des disques flexibles pouvant
être lus sur des gramophones ordinaires. En raison des images au rayon X
visibles sur les radios, le surnom de musique « sur cotes » ou « sur os » a
rapidement été donné à ces enregistrements. Ces disques proposaient du jazz
occidental, du rock'n'roll, de la musique des émigrés russes, des chansons
tziganes et des morceaux faisant l'apologie de la contre-culture criminelle.

« *Tout ce qui a une forme, tout ce qui est le résultat d'une combinaison, est issu de cet Akasha. [...] Et c'est l'Akasha qui devient le soleil, la terre, la lune, les étoiles, les comètes.* »

Swami Vivekananda, *Raja-Yoga*, 1896

✳

✳
Image de Markandeya regardant
Krishna dans l'océan cosmique, Basholi,
Jammu et Cachemire, Inde, v. 1680

✳
Tjatjati, Miriam Baadjo, 2020

« Le monde des esprits tout autour de ce monde des sens
Flotte comme une atmosphère, et partout
Se répand à travers ces brumes et ces vapeurs terrestres
Un souffle vital d'un air plus éthéré. »

Henry Wadsworth Longfellow, « Haunted Houses » (Maisons hantées), 1858

✳ Étincelles directes
obtenues par la bobine de
Ruhmkorff ou la machine
de Wimshurst, dites
« Figures de Trouvelot »,
Étienne Léopold
Trouvelot, v. 1888

✳ Photographie d'une
femme non identifiée
avec les bras d'un esprit
au-dessus de sa tête,
William H. Mumler,
1869-1878

Et tous mes jours sont des transes,
Et tous mes rêves nocturnes
Suivent les feux de ton œil gris,
Là où ton pas brille … »

Edgar Allan Poe, « À quelqu'un au paradis », 1843

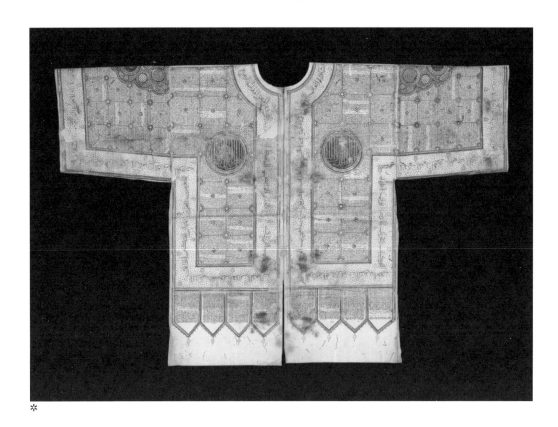

✳

✳

« *Tels dans le vaste désaccordés, dans l'éther, les vents en combat se soulèvent, aux animosités et aux forces égales, ni eux-mêmes entre eux, ni les nuées ni la mer ne cèdent.* »

Virgile, *L'Énéide*, livre X, 356-358

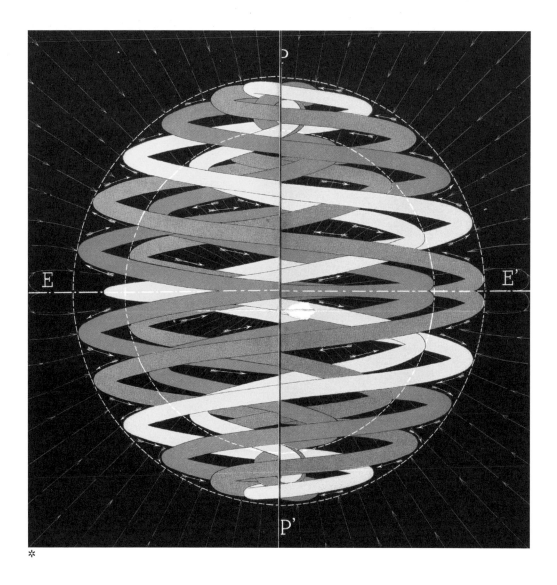

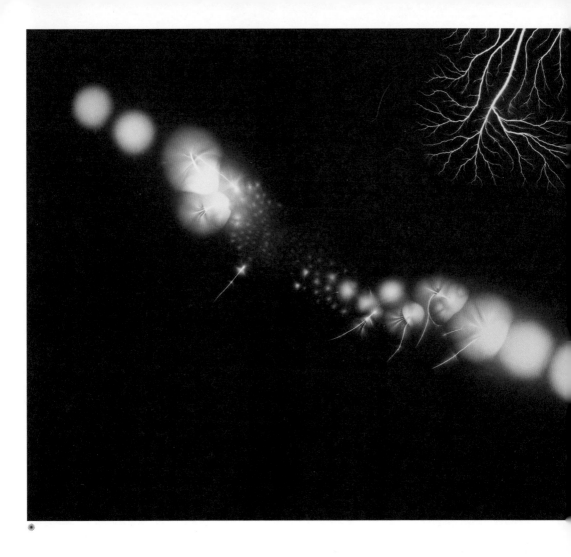

*

Lightning Fields Composed 004,
Hiroshi Sugimoto, 2008

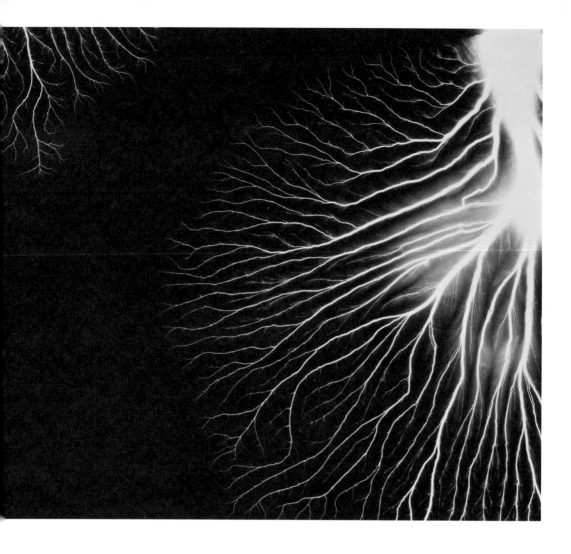

« Il n'y a pas d'espace sans éther,
ni d'éther qui n'occupe d'espace. »

Sir Arthur Eddington, *New Pathways in Science*, 1935

L'éther

LA PHOTOGRAPHIE KIRLIAN a été découverte en 1939 par le chercheur soviétique Semyon Kirlian (1898-1978) et sa femme, enseignante et journaliste, Valentina Kirlian (1904-1971). Après avoir remarqué qu'une lueur apparaissait entre la peau d'un patient et les électrodes d'un appareil d'électrothérapie, ils ont réalisé qu'en plaçant un film photographique sur une plaque métallique, puis un objet tel qu'une feuille sur le film et en le soumettant à un courant de haute tension pendant un très court laps de temps, il était possible de photographier la lueur, ou l'aura, qui apparaissait sur les contours de l'objet. Les Kirlian ont par la suite découvert qu'une feuille ainsi photographiée à intervalles fixes présentait une aura qui s'affaiblissait au fur et à mesure qu'elle se desséchait ; le couple en a déduit que la photographie Kirlian pouvait fournir des indications sur l'état de santé d'une personne. En réalité, l'aura était créée par une décharge coronale, une décharge électrique provoquée par l'ionisation du fluide dans l'air entourant un objet chargé électriquement. La diminution de la teneur en eau de la feuille entraînait une réduction de la décharge coronale à chaque intervalle.

✳

✻　Photographie Kirlian,　　✳　*A Goodly Company*,
　Wojciech Domagała, 2016　Ethel Le Rossignol, 1933

✳

« *La lumière divine pénètre dans l'univers [...].*
Ô trine lumière, qui à leurs yeux scintillant en une
seule étoile, les abreuve de tant de paix, regarde
ici-bas notre tempête ! »

Dante Alighieri, « Le Paradis », *La Divine Comédie*, chant XXXI (achevé en 1321)

✳ *Rayon*, Bensley et Dipré, 2021

✳ Illustration de la *Commedia (La Divine Comédie)* de Dante Alighieri, livre III : *Paradiso*, canto XXXI, vers 1-3, Gustave Doré, 1861

✳

LE TÉLESCOPE HUBBLE A ÉTÉ LANCÉ dans l'espace en 1990, soit plus de quarante ans après sa conception. Conçu par l'astrophysicien Lyman Spitzer (1914-1997), le télescope est alimenté par des panneaux solaires et gravite autour de la Terre au-dessus de son atmosphère, photographiant l'univers et transmettant les images aux chercheurs. Spitzer a été l'un des premiers à proposer un télescope spatial afin de surmonter les limites des télescopes terrestres. L'atmosphère terrestre absorbe les rayons ultraviolets et infrarouges, les empêchant ainsi d'atteindre les télescopes au sol, et provoque également un effet de scintillement qui rend la vue moins claire. Le télescope Hubble est capable de capturer des images célestes d'une précision inégalée par les télescopes terrestres et a permis de faire progresser considérablement notre compréhension de la formation du cosmos. Lancé en 2021, le nouveau télescope spatial James Webb est si sensible que nous pouvons désormais observer des objets trop anciens, trop faibles et trop éloignés pour être observés par le télescope Hubble.

✳

＊

Dark Heart, Conrad Shawcross, 2007

✳
Image de l'amas globulaire NGC 6652
dans la constellation du Sagittaire dans
la Voie lactée, observée par le télescope
spatial Hubble de la NASA et de l'ESA

✳

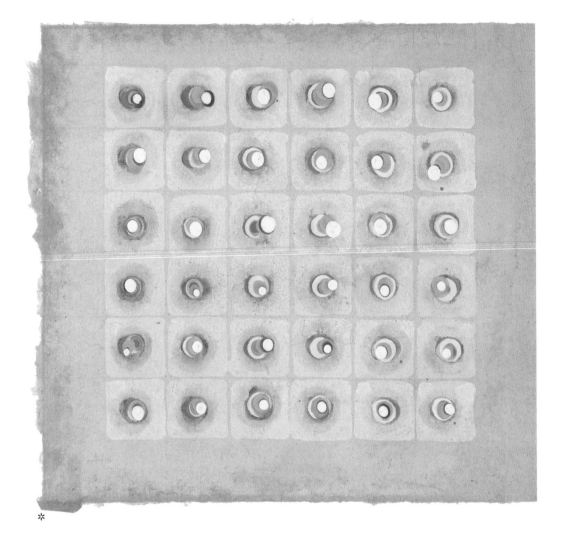

*

« *Le mot éther est comme le mot Dieu ;*
il masque et déguise somptueusement
ce que nous ignorons. »

Maurice Maeterlinck, *La Grande Loi*, « L'éther », 1933

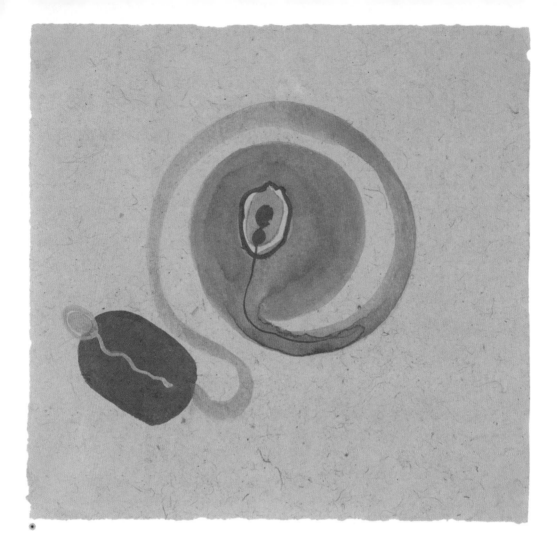

✳
Peinture tantrique, pigments
naturels sur papier ancien,
v. 1980-2014

✱
Groupe VI, Évolution, n° 9,
Hilma af Klint, 1908

« *Nous savons que l'univers est composé à 95 % de matière noire, mais ce qui est étrange, c'est que cela n'enthousiasme personne. Je pense que notre monde est devenu flou, stupide, terne, à moins qu'il n'y ait quelque part une Hilma af Klint qui peigne tout cela pour que, dans cent ans, nous puissions voir ce que nous avons manqué.* »

Ernst Peter Fischer, 2020

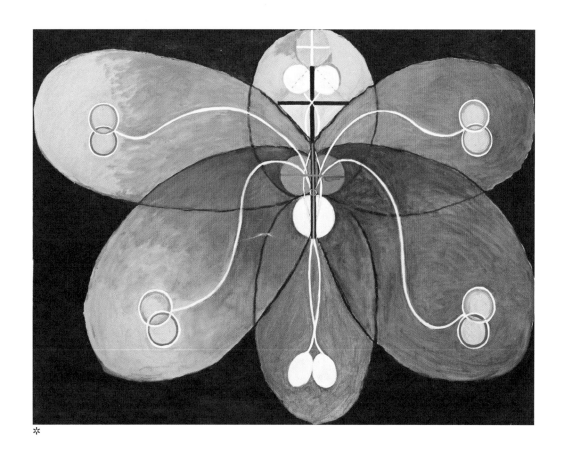

*

The Chariot VII, Sammy Lee, 2024

Illustration d'étoiles filantes,
tirée du *Beatus de Liébana : Codex
de Saint-Sever*, France, v. 1038

*

« L'astre brillant du jour était éteint ; les étoiles, désormais sans lumière, erraient à l'aventure dans les ténèbres de l'espace éternel. »

Lord Byron, « Les Ténèbres », 1816

Rings, épreuve à la gélatine argentique, Wellington Lee, 1964

Sermon au Camp Silver Belle, Pennsylvanie, États-Unis, v. années 1940

*

DANS LE CONTEXTE DE LA NAISSANCE du mouvement spirite et du
développement du négatif sur plaque de verre, la photographie spirite
connut un essor entre le milieu et la fin du XIXe siècle. Le photographe
William Mumler (1832-1884) est considéré comme le créateur de
la première photographie spirite : en 1862, il présenta en effet une
photographie de lui aux côtés du fantôme de son cousin décédé. Des
parents endeuillés de soldats morts au cours de la guerre de Sécession
le contactèrent pour obtenir de semblables clichés. En 1872, Mumler
produisit une photographie de Mary Todd Lincoln, censée montrer
le fantôme de son défunt mari, Abraham Lincoln, debout derrière elle.
Il fut finalement reconnu qu'il s'agissait d'un canular obtenu grâce à
un procédé de double exposition.

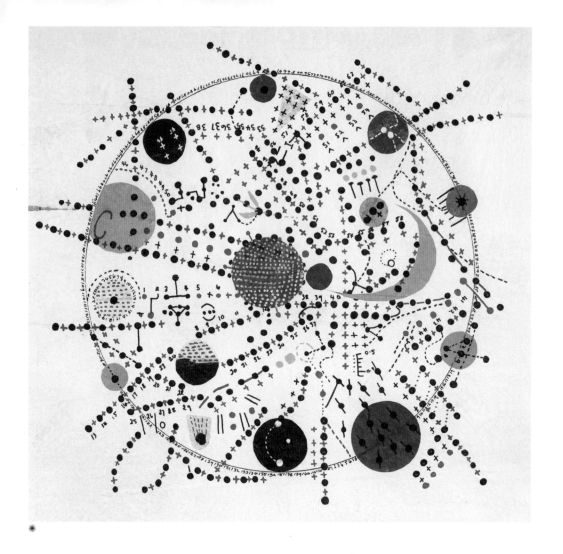

*

Untitled, Shane Drinkwater, 2023

*

Broderie de soie sur satin de soie
à motif de nœud sans fin, Chine,
1850-1900

« *Que ferons-nous maintenant, ami lecteur, de notre lunette ? Le caducée de Mercure, avec lequel nous traverserons à la nage l'éther, liquide de mer, et avec Lucien nous conduirons une colonie dans le déser Hesper, séduits par la beauté de la région ?* »

Johannes Kepler, *Dioptrique*, 1611

*

« *Les fleurs qui vont fleurir vont toutes naître de moi ;*
le vent qui souffle est mon haleine ; toutes les étoiles
sont dans mes yeux. »

Pierre Louÿs, *Hymne à la nuit*, 1898

*

※
Eucalyptus, épreuve à
la gélatine argentique,
Dr. Dain L. Tasker, 1932

✳
Spirit Codex, Solange Knopf,
2014

L'éther

« *L'éther est le seul occupant de l'univers, à l'exception de la fraction infinitésimale de l'espace où réside la matière ordinaire.* »

E. T. Whittaker, *A History of the Theories of Aether and Electricity*, 1910

✳

✳

✳ *The Flower of Catherine Emily Stringer,*
Georgiana Houghton, 7 avril 1866

✱
Peinture de Chakrasamvara et
consort Vajravarahi, 1450-1500

ÉLÉMENTS

« *Ma main a été entièrement guidée par des Esprits – aucune idée ne s'est formée dans mon imagination quant à ce qui allait être produit.* »

Georgiana Houghton, présentation de « Spirit Drawings in Watercolours » (dessins spirites à l'aquarelle) à la New British Gallery, Londres, 1871

*

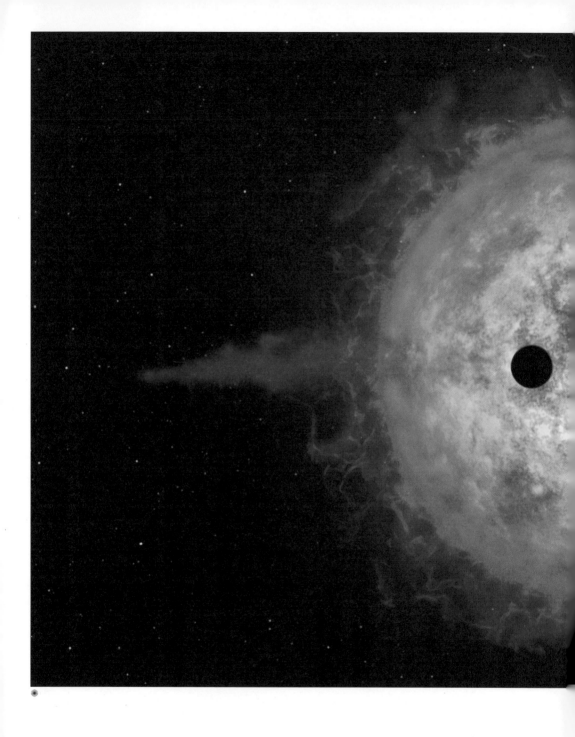

ÉLÉMENTS

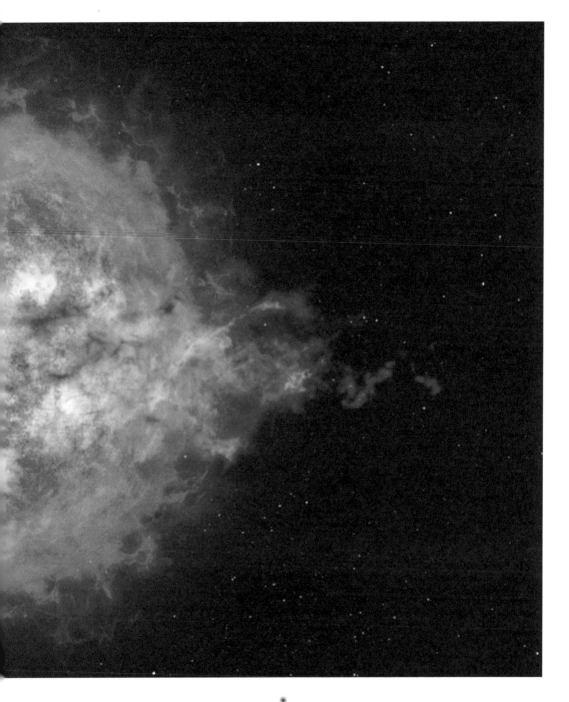

Représentation picturale d'une planète (silhouette sombre)
passant devant l'étoile naine rouge AU Microscopii,
d'après les mesures effectuées par le télescope spatial
Hubble NASA/ESA, Joseph Olmsted (STScI)

L'éther

Bibliographie

Adamson, Peter, *A History of Philosophy Without Any Gaps*, 6 vols, Oxford University Press, Oxford, 2016-2022

Agrippa, Henri-Corneille, *La Philosophie occulte ou la magie*, tome premier, livre I, éd. 1910

Al-Khalili, Jim, *Pathfinders: The Golden Age of Arabic Science*, Penguin Books, Londres, 2010

Aldersey-Williams, Hugh, *Periodic Tales: The Curious Lives of the Elements*, Penguin Books, Londres, 2011

Alighieri, Dante, *La Divine Comédie*, Flammarion, Paris, 1910 ; trad. Félicité Robert de Lamennais

Annas, Julia, *Ancient Philosophy: A Very Short Introduction*, éd. rév., Oxford University Press, Oxford, 2023

Apollodorus, *The Library of Greek Mythology*, Oxford University Press, Oxford, 2008

Aquin, Thomas d', *Selected Writings*, Penguin Books, Londres, 1998

Archive for Research in Archetypal Symbolism (auteur), *Le Livre des symboles : réflexions sur des images archétypales*, Taschen, Cologne, 2022

Aristote, *La Métaphysique*, GF Flammarion, Paris, 2008

Ball, Philip, *The Elements: A Very Short Introduction*, Oxford University Press, Oxford, 2004

Ball, Philip, *The Elements: A Visual History of Their Discovery*, Thames & Hudson, Londres, 2021

Barnes, Jonathan, *Aristotle: A Very Short Introduction*, Oxford University Press, Oxford, 2000

Barrow, John D., *The Book of Nothing: Vacuums, Voids, and the Latest Ideas about the Origins of the Universe*, Pantheon Books, New York, NY, 2001

Battistini, Matilde, *Astrology, Magic, and Alchemy in Art*, Getty Publications, Los Angeles, CA, 2008

Battistini, Matilde, *Symbols and Allegories in Art*, Getty Publications, Los Angeles, CA, 2006

Berlekamp, Persis, *Wonder, Image, and Cosmos in Medieval Islam*, Yale University Press, New Haven, CT, 2011

Blake, William, *Blake: The Complete Poems*, W. H. Stevenson, Longman (éd.), Harlow, 2007

Bohm, David, *Wholeness and the Implicate Order*, Routledge, Abingdon, 1983

Boyle, Robert, *The Sceptical Chymist*, imprimé par J. Cadwell pour J. Crooke, Londres, 1661

Brier, Bob, *Ancient Egyptian Magic*, Quill, New York, NY, 1980

Browne, sir Thomas, *The Major Works*, C. A. Patrides (éd.), Penguin Books, Londres, 1977

Bunnin, Nicholas et Jiyuan Yu, *The Blackwell Dictionary of Western Philosophy*, Blackwell Publishing Ltd, Oxford, 2008

Bynum, William, *The History of Medicine: A Very Short Introduction*, Oxford University Press, Oxford, 2008

Bynum, William, Janet Browne et Roy Porter, *Dictionary of The History of Science*, Princeton University Press, Princeton, NJ, 1981

Calasso, Roberto, *The Marriage of Cadmus and Harmony*, Jonathan Cape, Londres, 1993

Campbell, Joseph, *The Masks of God*, 4 vol., Viking Press, New York, NY, 1959-1968

Carson, Rachel, *Printemps silencieux*, Wildproject, Marseille, 2009 ; trad. Jean-François Gravrand et Baptiste Lanaspeze

Carson, Rachel, *The Sea Around Us*, Oxford University Press, Oxford, 1951

Cicéron, *La Nature des dieux*, Les Belles Lettres, Paris, 2022

Clulee, Nicholas H., *John Dee's Natural Philosophy: Between Science and Religion*, Routledge, Abingdon, 1988

Cooper, J. C., *An Illustrated Encyclopaedia of Traditional Symbols*, Thames & Hudson, Londres, 1979

Copleston, F., *Aquinas: An Introduction to the Life and Work of the Great Medieval Thinker*, Penguin Books, Londres, 1991

Cornford, Francis M., *Plato's Cosmology: The Timaeus of Plato Translated with a Running Commentary*, Martino Publishing, Mansfield, CT, 2014

Dalai Lama (intro.), *Science and Philosophy in the Indian Buddhist Classics*, Jinpa Thupten, Richard Dechen, David Lopez et al. (éds), 4 vol., Wisdom Publications, Somerville, MA, 2017-2023

Djalâl-od-Dîn Rûmî, *Mathnawî, la quête de l'Absolu*, Éditions du Rocher Spiritualité, Monaco, 2014 ; trad. Eva de Vitray-Meyerovitch

Dickinson, Emily, *The Complete Poems*, Faber & Faber, Londres, 2016

Dijksterhuis, Eduard Jan et Robert James Forbes, *A History of Science and Technology*, 2 vol., Penguin Books, Londres, 1963

Dijksterhuis, Eduard Jan, *The Mechanization of the World Picture*, Princeton University Press, Princeton, NJ, 1969

Donne, John, *The Major Works*, John Carey (dir.), Oxford University Press, Oxford, 2008

Edward, Paul (éd.), *The Encyclopedia of Philosophy*, 8 vol., Macmillan et The Free Press, New York, NY, 1967

Eliot, T. S., *Four Quartets*, Faber & Faber, Londres, 1941

Eliot, T. S., *The Waste Land and Other Poems*, Faber & Faber, Londres, 1940 ; en fr. cf. *La Terre vaine*, Points poésie, Paris, 2006 ; trad. Pierre Leyris.

Emilsson, Eyjólfur K., *Plotinus*, Routledge, Abingdon, 2017

Feynman, Richard P., Matthew Sands et Robert B. Leighton, *Six Easy Pieces: Essentials of Physics Explained by Its Most Brilliant Teacher*, Basic Books, New York, NY, 1994

Feynman, Richard P., *The Character of Physical Law*, intro. Paul Davies, Penguin Books, Londres, 1992

Fortey, Richard, *The Earth: An Intimate History*, HarperCollins, Londres, 2004

Frazer, Sir James George, *Myths of the Origin of Fire*, Macmillan, Londres, 1930

Frazer, sir James George, *The Golden Bough: A Study in Magic and Religion*, 12 vol., 3e éd, Macmillan, Londres, 1906-1915

Galien (Claudius Galenus), *Des facultés naturelles* in *Œuvres médicales choisies II*, Tel Gallimard, Paris, 1994

Gilgamesh, *l'Épopée de Gilgamesh*, Abed Azrié (éd.), Albin Michel, Paris, 2015

Grant, Edward, *Physical Science in the Middle Ages*, Wiley, New York, NY, 1971

Graves, Robert, Felix Guirand et al., *The New Larousse Encyclopaedia of Mythology*, Hamlyn, Londres, 1963

Graves, Robert, *The Greek Myths*, 2 vol., Penguin Books, Londres, 1955

Gray, Douglas (éd.), *The Oxford Book of Late Medieval Verse and Prose*, Oxford University Press, Oxford, 1985

Hall, James, *Hall's Dictionary of Subjects and Symbols in Art*, John Murray, Londres, 1974

Hall, Manly P., *The Secret Teachings of All Ages: An Encyclopedic Outline of Masonic, Hermetic, Qabbalistic and*

Rosicrucian Symbolical Philosophy, Dover Publications, Mineola, NY, 2011

Hazen, Robert M., *The Story of Earth: The First 4.5 Billion Years, from Stardust to Living Planet*, Viking Press, New York, NY, 2012

Héraclite, *Fragments*, GF Flammarion, Paris, 2018

Hérodote, *L'Enquête*, Folio Gallimard, Paris, 1985

Hésiode, *Théogonie*, Le livre de poche, Paris, 1999

Hippocrate, *Connaître, soigner, aimer : « Le Serment » et autres textes*, Les Belles Lettres, Paris, 1999

Homère, *L'Odyssée*, Seuil, Paris, 2022 ; trad. Philippe Brunet

Hornblower, Simon, Anthony Spawforth et Esther Eidinow (éds), *The Oxford Companion to Classical Civilization*, 2ᵉ éd, Oxford University Press, Oxford, 2014

Jung, Carl G., Marie-Louise von Franz, Joseph L. Henderson et al., *Man and His Symbols*, Doubleday, New York, NY, 1969

Jung, Carl G., *The Red Book: Liber Novus*, Sonu Shamdasani (éd. et intro.), W. W. Norton & Company, New York, NY, 2009

Kaku, Michio, *The God Equation: The Quest for a Theory of Everything*, Allen Lane, Londres, 2021

Kaptchuk, Ted J., *The Web That Has No Weaver: Understanding Chinese Medicine*, Congdon & Weed, New York, NY, 1983

Kirk, G. S., J. E. Raven et M. Schofield, *The Presocratic Philosophers*, Cambridge University Press, Cambridge, 1983

Lao Tseu, *Tao Te King*, Albin Michel, Paris, 1984

Lemprière, John, *Lemprière's Classical Dictionary*, Henry G. Bohn, Londres, 1853

Léonard de Vinci, *Les Carnets*, éditions Trédaniel, Paris, 2018

Lévi, Éliphas, *The History of Magic* (1859), 2ᵉ éd, William Rider & Son Ltd., Londres, 1922

Linden, Stanton J., *The Alchemy Reader: from Hermes Trismegistus to Isaac Newton*, Cambridge University Press, Cambridge, 2003

Liu Lihong, *Classical Chinese Medicine*, Heiner Fruehauf (éd.), The Chinese University Press, Hong Kong, 2021

Lloyd, G. E. R., *Aristotle: The Growth and Structure of his Thought*, Cambridge University Press, Cambridge, 1968

Lovelock, James, *Gaia: A New Look at Life on Earth*, Oxford University Press, Oxford, 1979

Lucrèce, *De la nature des choses*, Le Livre de poche, Paris, 2002

Mahabharata, *Le Mahabharata*, Pocket, Paris, 2010

Mahsood, Ehsan, *Science and Islam: A History*, 2ᵉ éd, Icon Books, Londres, 2017

Moran, Bruce T., *Paracelsus: An Alchemical Life*, Reaktion Books, Londres, 2019

Nath, Samir, *Encyclopaedic Dictionary of Buddhism*, Sarup & Sons, Delhi, 1998

Newton, Isaac, *Philosophiæ Naturalis Principia Mathematica* (éd. 1687), Hachette Livre/BNF Paris, 2012

Ovide, *Les Métamorphoses*, Les Belles Lettres, Paris, 2009

Platon, *Gorgias*, Flammarion, Paris, 2017

Platon, *Timée suivi de Critias* ; trad. Luc Brisson, Flammarion, Paris, 2016

Pline l'Ancien, *Histoire naturelle*, Folio classique, Paris, 1999

Plotin, *Ennéades*, Les Belles Lettres, Paris, 1924

Porter, Roy (éd.), *The Cambridge History of Medicine*, Cambridge University Press, Cambridge, 2006

Ramayana, *Le Ramayana*, Albin Michel, Spiritualités vivantes, Paris, 2006

Rig-Véda, Hachette Livre/BNF, Paris, 2021

Roberts, J. M., *Mythology of the Secret Societies*, Paladin Books, Londres, 1974

Roob, Alexander, *Alchemy & Mysticism*, Taschen, Cologne, 2014

Russell, Bertrand, *History of Western Philosophy, and Its Connection with Political and Social Circumstances from the Earliest Times to the Present Day*, George Allen and Unwin Ltd, Londres, 1946

Shields, Christopher, *Ancient Philosophy: A Contemporary Introduction*, Routledge, Abingdon, 2022

Spenser, Edmund, *Edmund Spenser's Poetry*, Anne Lake Prescott et Andrew Hadfield (éds), 4ᵉ éd., W. W. Norton & Company, New York, NY, 2013 ; en fr. cf. Guilmoto, Paris, 1914 ; trad. Fernand Henry

Strathern, Paul, *Mendeleyev's Dream: The Quest for the Elements*, St. Martin's Press, New York, NY, 2001

Tesla, Nikola, *My Inventions and Other Writings*, Penguin Books, Londres, 2012

Tester, Jim, *A History of Western Astrology*, Boydell & Brewer, Woodbridge, 1999

Thomas, Keith, *Religion and the Decline of Magic*, Weidenfeld & Nicolson, Londres, 1971

Tillyard, E. M. W., *The Elizabethan World Picture*, Penguin Books, Londres, 1972

Trismosin, Salomon, *Splendor Solis* ; trad. annotée Jean Delart, Jacques Antoine, Éditeur, Paris, 2018

Upanishads, Trois, Albin Michel, Spiritualités vivantes, Paris, 2012

Vitruve, *Les Dix Livres d'architecture*, Hachette livre/BNF, Paris, 2012

Von Franz, Marie-Louise, *Alchemy: An Introduction to the Symbolism and the Psychology*, Inner City Books, Toronto, 1984

Waite, A. E., *The Secret Tradition in Alchemy: Its Development and Records*, Routledge, Abingdon, 2013

Washington, Peter, *Madame Blavatsky's Baboon: Theosophy and the Emergence of the Western Guru*, Secker & Warburg, Londres, 1993

Waterfield, Robin (éd. et trad.), *The First Philosophers: The Presocratics and Sophists*, Oxford University Press, Oxford, 2000

Whitman, Walt, *The Complete Poems*, Francis Murphy (éd. et intro.), Penguin Books, Londres, 2004 ; en fr. cf. *Feuilles d'herbe* ; trad. Léon Bazalgette, 1909, éd. 1922, Mercure de France, Paris, 1955

Wilson, Colin, *The Occult: A History*, Hodder & Stoughton, Londres, 1971

Wilson, Edward O., *The Diversity of Life*, Allen Lane, Londres, 1992

Yates, Frances A., *The Art of Memory*, Routledge et Kegan Paul, Londres, 1966

Yeats, William Butler, *Les Histoires de la rose secrète*, 1896, Jacqueline Genet (éd.), Presses universitaires de Lille, 1984 ; trad. collective

Yeats, William Butler, *Collected Poems*, Macmillan, Londres, 1935

Zalasiewicz, Jan, *Geology: A Very Short Introduction*, Oxford University Press, Oxford, 2018

Zalta, Edward N. (éd.), *Stanford Encyclopedia of Philosophy*, automne 2020, Stanford University Press, Stanford, CA ; https://plato.stanford.edu/archives/fall2020/ [consulté le 3 juin 2024]

Sources des citations

INTRODUCTION

9 Henri-Corneille Agrippa, *La Philosophie occulte ou la magie*, tome I, livre I, Bibliothèque Chacornac, Paris, 1910, p. 23

14 Henry Wadsworth Longfellow, *The Works of Henry Wadsworth Longfellow*, vol. VII: Outre-Mer and Drift-Wood, Riverside Press, Cambridge, MA, 1886, p. 405 ; traduit par nos soins

20 William Blake, *Jérusalem*, chapitre 2, pl. 32 [36], l. 31-32. in *The Complete Poetry and Prose of William Blake*, David V. Erdman (éd.), University of California Press, Berkeley, CA, 2008, p. 178 ; traduit par nos soins

30 W. B. Yeats, « Rosa Alchemica », *The Savoy*, n° 2 (avril 1896), p. 56-70, p. 56 ; en fr., cf. *Les Histoires de la rose secrète*, Jacqueline Genet (éd.) ; trad. collective, Presses universitaires de Lille, 1984, p. 127

32 Pline l'Ancien, *Histoire naturelle*, livre II, chapitre IV, Dubochet, Paris, 1848-1850, édition d'Émile Littré [remacle.org]

CHAPITRE 1

35 La Bible, Job 28 : 5-6, AELF.org

42 Lucrèce, *De la nature des choses (De rerum natura)* ; trad. (1876, 1899) A. Lefèvre, Éditions Les Échos du Maquis, livre V, l. 257-260, p. 184

44 Thomas Stanley, *The History of Philosophy, The Eighth Part: Containing the Stoick Philosophers*, H. Moseley and T. Dring, Londres, 1656, p. 110 ; traduit par nos soins

46 Djalâl-od-Dîn Rûmî, *Mathnawî, la quête de l'Absolu*, tome I, livres I à III, Éditions du Rocher Spiritualité, 2014

48 Emily Dickinson, *Poèmes*, 2021, p. 79 ; trad. Denys de Caprona [researchgate.net/profile/Denys-De-Caprona]

51 Bob Randall, « The Land Owns Us », Global Oneness Project [vidéo], téléchargée le 27 février 2009, YouTube, www.youtube.com [consultée le 23 mai 2024] ; traduit par nos soins

55 Walt Whitman, *Feuilles d'herbe*, 1909, éd. 1922, Mercure de France, Paris, 1955 ; trad. Léon Bazalgette

57 T. S. Eliot, *La Terre vaine*, « Avril est le plus cruel des mois ». Éditions du Seuil, Paris, 2006 ; trad. Pierre Leyris

58 Dylan Thomas, « La force qui pousse... », in *Anthologie de la poésie anglaise*, La Pléiade, Gallimard, Paris, 2005 ; trad. Hélène Bokanowski

60 Walt Whitman, *Feuilles d'herbe*, 1909, éd. 1922, Mercure de France, Paris, 1955, p. 126 ; trad. Léon Bazalgette

64 *Egyptian Religious Poetry* ; trad. Margaret A. Murray, John Murray, Londres, 1949, section II : « The Pharaoh », n° 22, p. 75 ; retraduit par nos soins

66 « À la mère de tous », *Hymnes d'Homère*, Hésiode (hymne XXX) ; trad. Ernest Falconnet

69 Robert Herrick, in Gacon Gérard, *Robert Herrick et la gloire, in XVII-XVIII. Bulletin de la Société d'études anglo-américaines des XVIIe et XVIIIe siècles*, n° 27, 1988, p. 141-155

71 Walt Whitman, *Passage vers l'Inde* in *Feuilles d'herbe*, Mercure de France, Paris, tome II, 1909, p. 165 ; trad. Léon Balzagette

CHAPITRE 2

73 Lao Tseu, cité in *Encyclopédie de l'agora*, agora.qc.ca [consulté le 3 juin 2024]

76 Claude Monet, cité in *Dictionnaire Octave Mirbeau*, https://mirbeau.asso.fr/dicomirbeau [consulté le 3 juin 2024]

81 William Shakespeare, *Antoine et Cléopâtre*, acte V, scène II (1607), https://www.jeuverbal.fr/MB_ANTOINE.pdf ; trad. Michel Bernardy

82 Cité in Theodor H. Gaster, « The Battle of the Rain and the Sea: An Ancient Semitic Nature-Myth », *Iraq*, vol. 4, n° 1 (printemps 1937), p. 26 ; traduit par nos soins

88 Albert Szent-Gyorgyi, *The Living State: With Observations on Cancer*, Academic Press, New York, NY, 1972, p. 9 ; traduit par nos soins

91 François-René de Chateaubriand, *Mémoires d'outre-tombe* (1848), Le Livre de poche, Paris, 2004

92 Hermann Hesse, *Siddhartha*, 1922, https://tiersinclus.fr/hermann-hesse-siddhartha [consulté le 3 juin 2024]

95 T. S. Eliot, *La Terre vaine*, 1917, Éditions du Seuil, Paris, 2006 ; trad. Pierre Leyris

98 Herman Melville, *Moby-Dick*, www.ebooksgratuits.com/html/melville_moby_dick.html [consulté le 3 juin 2024]

101 « The Java Horror: Official Reports Received by the Dutch Government », *The San Diego Union* (2 septembre 1883), p. 1 ; traduit par nos soins

105 A. M. Worthington, *The Splash of a Drop*, Society for Promoting Christian Knowledge, Londres, 1895, p. 7 ; traduit par nos soins

106 Gaston Bachelard, *L'Eau et les rêves – Essai sur l'imagination de la matière*, (1942), Le Livre de poche, Paris, 1993

109 Paracelse, *De mineralibus*, Huser, VIII, 337 = Sudhoff, III, p. 34-35

112 Rachel Carson, *Printemps silencieux*, Wildproject, Paris, 2009 ; trad. Jean-François Gravand et Baptiste Lanaspeze

114 Wang Wei, « Mon refuge au pied du mont Chung-nan »; trad. François Cheng

116 Thomas Traherne ; The Poetry Foundation, www.poetryfoundation.org [consulté le 23 mai 2024] ; traduit par nos soins

CHAPITRE 3

119 Wilbur et Orville Wright, *The Papers of Wilbur and Orville Wright*, vol. II : 1906-1948, Marvin W. McFarland (éd.), Ayer Company, Publishers, Inc., Salem, NH, 1990, p. 934 ; traduit par nos soins

122 Margaret Cavendish, *New Blazing World and Other Writings*, éd. Kate Lilley, New York University Press, New York, NY, 1992, p. 138-139 ; traduit par nos soins

130 Gaston Bachelard, *L'Air et les songes* (1965), Le Livre de poche, Paris, coll. « Biblio essais », 1992

133 Khalil Gibran, *Le Prophète* (1923), LGF, Paris, 1993 ; trad. Janine Levy

134 Percy Bysshe Shelley, *Poèmes*, Imprimerie nationale, Paris, 2006, p. 471 ; trad. Robert Ellrodt

136 Homère, *L'Odyssée* ; trad. Victor Berard, http://incipit.fr/lodysee-extrait-2011-03-18s

138 Pline l'Ancien, *Histoire naturelle*, livre II, chapitre XXXVIII, éd. d'Émile Littré, Paris Dubochet, 1848-1850

140 William Shakespeare, *Le Roi Lear*, acte III, scène II, l. 1-11 (1606) ; trad. François-Victor Hugo

144 Cité in Steven D. Carter (éd. et trad.), *Waiting for the Wind: Thirty-Six Poets of Japan's Late Medieval Age*, Columbia University Press, New York, NY, 1989, p. 135 ; traduit par nos soins

148 Christina Rossetti, *The Complete Poems of Christina Rossetti*, Louisiana State University Press, Baton Rouge, LA, 1979, p. 42 ; traduit par nos soins

150 « Zep set to hop from LA; flies over city tonight », *Los Angeles Evening Express*, vol. LIX, nº 131 (26 août 1929), p. 1 ; traduit par nos soins

157 Homère, *L'Odyssée*, l. 291, 1842 ; trad. Eugène Bareste, https://fr.wikisource.org/wiki/l'Odyssée/Traduction_Bareste

159 Philip Freneau, *The Last Poems of Philip Freneau*, Lewis Leary (éd.), Greenwood Press, Westport, CT, 1970, p. 8 ; traduit par nos soins

160 Cité sur WikiZilla, www.wikizilla.org/wiki/Godzilla_vs._Hedorah [consulté le 23 mai 2024] ; traduit par nos soins

CHAPITRE 4

163 Susanne K. Langer, *Philosophy in a New Key: A Study in the Symbolism of Reason, Rite and Art*, 3ᵉ éd., Harvard University Press, Cambridge, MA, 1957 ; traduit par nos soins

166 John Milton, *Le Paradis perdu*, tome I, J. P. Meline éditeur, Bruxelles, 1856, p. 41 ; trad. M. de Chateaubriand

175 Mary Shelley, *Frankenstein ou le Prométhée moderne*, Folio, Paris, 2000, p. 319-320

177 Edmund Spenser, *Poèmes*, Gilmoto éditeur, Paris, 1914 ; trad. Fernand Henry

178 Hésiode, *Théogonie*, l. 561-584, Librairie Garnier, Paris ; trad. E . Bergougnan

180 Florus, « Guerre contre les esclaves », *Abrégé de l'histoire romaine*, https://fr.wikisource.org/wiki/Abrégé_de_l'histoire_romaine_(Florus)/Livre_III

183 Haiku de Masaoka Shiki, arbrealettres.wordpress.com/2023/12/10/solitude-masaoka-shiki [consulté le 3 juin 2024]

185 Juvénal, *Satire III* ; trad. Henri Clouard, http://ugo.bratelli.free.fr/Juvenal/Sat03.htm

187 Oscar Wilde, *Le Portrait de Dorian Gray* (1890), Chez Mornay, Paris, 1920 ; trad. Eugène Tardieu

189 Nikola Tesla, *Sur la lumière et les autres phénomènes de haute fréquence*, Société internationale des électriciens, 1893

191 Héraclite, « Fragment 66 » cité in Battistini Y. ; *trois Présocratiques*, Gallimard, Paris, « Tel », 1988.

192 Gaston Bachelard, *La Flamme d'une chandelle* (1961), Puf, Paris, 2015

195 Friedrich Nietzsche, *Ainsi parlait Zarathoustra in Œuvres complètes*, Société du Mercure de France, Paris, 1903 ; trad. Henri Albert

197 Mary Coleridge, *The Collected Poems of Mary Coleridge*, Theresa Whistler, Rupert Hart-Davis (éds), Londres, 1954, p. 152 ; traduit par nos soins

198 Virgile, *L'Énéide*, livre VI, « La descente aux Enfers », http://bcs.fltr.ucl.ac.be/Virg/V06-001-263.html [consulté le 3 juin 2024]

CHAPITRE 5

203 Sir Arthur Eddington, *New Pathways in Science*, Cambridge University Press, Cambridge, 1935, p. 38 ; traduit par nos soins

207 John Muir, *John of the Mountains: The Unpublished Journals of John Muir*, Linnie Marsh Wolfe (éd.), The University of Wisconsin Press, Madison, WI, 1979, p. 321 ; traduit par nos soins

208 C. E. Bechhofer Roberts (éd.), *The Trial of Mrs. Duncan*, Jarrolds, Londres, 1945, p. 29 ; traduit par nos soins

214 Swami Vivekananda, *The Complete Works Of Swami Vivekananda*, vol. I, 10ᵉ éd., Calcutta, Advaita Ashrama, 1957, p. 147 ; retraduit par nos soins

216 Henry Wadsworth Longfellow, www.hwlongfellow.org org [consulté le 23 mai 2024] ; traduit par nos soins

218 Edgar Allan Poe, « À quelqu'un au Paradis », 1843 ; trad. Jacky Lavauzelle

220 Virgile, *L'Énéide*, livre X, l. 356-358

223 Sir Arthur Eddington, *New Pathways in Science*, p. 38-39 ; traduit par nos soins

226 Dante Alighieri, « Le Paradis », *La Divine Comédie*, chant XXXI, Flammarion, Paris, 1910, p. 380-383 ; trad. Félicité Robert de Lamennais

231 Maurice Maeterlinck, « L'éther » in *La Grande Loi*, Fasquelle, Paris, 1933

233 Cité in « "They called her a crazy witch": did medium Hilma af Klint invent abstract art? », *The Guardian* (6 octobre 2020) ; traduit par nos soins

235 Lord Byron, « Les Ténèbres » (1816), https://fr.wikisource.org/wiki/Les_Ténèbres ; trad. Paulin Paris

239 Johannes Kepler, *Dioptrique* (1611)

240 Pierre Louÿs, *Hymne à la nuit*, 1898, https://fr.wikisource.org/wiki/Les_Chansons_de_Bilitis._suivies_de_Chansons_modernes/Les_Chansons_de_Bilitis/93

242 E. T. Whittaker, *A History of the Theories of Aether and Electricity*, Dublin University Press, Dublin, 1910, p. 1 ; traduit par nos soins

245 Georgiana Houghton, présentation de « Spirit Drawings in Watercolours » à la New British Gallery, Londres. In « A Public Exhibition of Spirit Drawings », *The Spiritual Magazine*, vol. VI (juin 1871), p. 263 ; traduit par nos soins

REMERCIMENTS

256 Plotin, *Deuxième Ennéade*, Livre III,. trad. N. M. Bouillet ; https://remacle.org/bloodwolf/philosophes/plotin/enneade23.htm [consulté le 6 juin 2024]

Sources des illustrations

1 Getty Research Institute 2 Wellcome Collection, Londres 4h The John Rylands Research Institute and Library, The University of Manchester 4c Rippon Boswell & Co. 4b The Metropolitan Museum of Art, New York, Rogers Fund, 1919 5h (détail) Photo Georgia O'Keeffe Museum, Santa Fe/ Art Resource/Scala, Florence. © Georgia O'Keeffe Museum/DACS 2024 5ch (détail) Christie's Images/Bridgeman Images. © 2024 The Andy Warhol Foundation for the Visual Arts, Inc./Sous licence DACS, Londres 5b Bibliothèque nationale de France 5b NASA, ESA, Joseph Olmsted (STScI) 7 The Stapleton Collection/Bridgeman Images 8 Cooper Hewitt, Smithsonian Design Museum 10 The Metropolitan Museum of Art, New York. Roger Fund et donation Edward S. Harkness, 1922 11 Collections numériques de la Bamberg State Library 12–13 University of Stirling Art Collection. © Estate of John Craxton. Tous droits réservés, DACS 2024 14 The John Rylands Research Institute and Library, The University of Manchester 15 Courtesy l'artiste 16 The Metropolitan Museum of Art, New York, achat, fonds Fletcher et divers donateurs, 2003 17 Wellcome Collection, Londres 18 Rabanus Flavus 19 Science Museum Group 20 Rare Book Division, The New York Public Library. « And the Divine Voice was heard.... », The New York Public Library Digital Collections. 1804–1808 21 Courtesy l'artiste 22 Getty Research Institute 23 British Library archive/Bridgeman Images 24 The John Rylands Research Institute and Library, The University of Manchester 25 Bibliothèque nationale de France 26–27 Musée du Louvre, Dist. RMN-Grand Palais/Photo Martine Beck-Coppola 28 SLUB Dresden/ Deutsche Fotothek 29 Christie's Images/ Bridgeman Images 30 Photo Moderna Museet, Stockholm. Courtesy The Hilma

af Klint Foundation 31 Bibliothèque nationale de France. Bibliothèque de l'Arsenal. Ms-975 réserve 32 Universitätsbibliothek Tübingen, Geometria Et Perspectiva, 1567, El 54.4 33 David Rumsey Map Collection, David Rumsey Map Center, Stanford Libraries 34 Bibliothèque nationale de France 36 The Cleveland Museum of Art, acquisition J. H. Wade Fund 1959.187 37 Courtesy l'artiste 38 Metropolitan Museum of Art, Rogers Fund, 1930 39 Courtesy les artistes 40 Rippon Boswell & Co. GmbH 41 © National Portrait Gallery, Londres 42 Courtesy Alexander Gorlizki 43 Courtesy l'artiste 44 Courtesy l'artiste 45 © Tracey Emin. Tous droits réservés, DACS/Artimage 2024 46 Courtesy l'artiste 47 The Picture Art Collection/Alamy Stock Photo 48 Courtesy l'artiste 49 Courtesy l'artiste 50 Bridgeman Images 51 Courtesy l'artiste 52 The Cleveland Museum of Art, don en l'honneur de Madeline Neves Clapp ; don Mrs. Henry White Cannon par échange ; legs de Louise T. Cooper ; Leonard C. Hanna Jr. Fund ; Catherine and Ralph Benkaim Collection 2013.319 53 Album/Alamy Stock Photo 54 Courtesy l'artiste 55 Photo de Ollie Hammick, courtesy Canopy Collections 56 Courtesy l'artiste 57 Courtesy Cavin-Morris Gallery. Photo Jurate Veverate 58 Courtesy les artistes 59 Courtesy l'artiste 60 Art Resource/ Scala, Florence/© Walker Evans Archive, The Metropolitan Museum of Art 61 Christie's Images/Bridgeman Images. © The Joseph and Robert Cornell Memorial Foundation/VAGA at ARS, NY et DACS, Londres 2024 62 British Mineralogy, James Sowerby, imprimé par R. Taylor and Co., Londres, 1802 63 ARTGEN/Alamy Stock Photo 64 Courtesy l'estate Dan Hillier 65 Courtesy Darédo 66 Courtesy l'artiste et Victoria Miro, Londres. Photo Genevieve Hanson 67 Publié par Magnolia Editions. Photographie courtesy Magnolia Editions. Courtesy Pace Gallery. © Kiki Smith 68 The J. Paul Getty Museum, Los Angeles, 84.XM.638.53 69 Rijksmuseum, Amsterdam 70 Bauhaus-Archiv Berlin. © DACS 2024 71 Courtesy l'artiste 72 The Metropolitan Museum of Art, New York, Rogers Fund, 1919 74 Bibliothèque nationale de France

75 The Cleveland Museum of Art, don d'Amelia Elizabeth White 1937.898 76 Artefact/Alamy Stock Photo 77 Album/ Alamy Stock Photo 78 National Maritime Museum, Greenwich, Londres, Gibson's of Scilly Shipwreck Collection 79 Flug Und Wolken, Manfred Curry, Verlag F. Bruckmann, Munchen, 1932. P. 65. NOAA Photo Library 80 Courtesy James Fuentes Gallery, © Didier William 81 Image courtesy Dallas Museum of Art, don de Mr. et Mrs. James H. Clark. Barbara Hepworth © Bowness 82 Courtesy l'artiste 83 The Picture Art Collection/ Alamy Stock Photo 84–85 © Wolfgang Tillmans, courtesy Maureen Paley, Londres 86 Christie's Images/Bridgeman Images. © DACS 2024 87 © Nick Brandt 88 The Nature Notes/Alamy Stock Photo 89 Kunstformen der Natur, Ernst Haeckel, 1904 90 Don de Mrs. Nicholas H. Noyes, Eskenazi Museum of Art, Indiana University 71.40.2 91 Staatliche Kunsthalle Karlsruhe 92 The Art Institute of Chicago, Clarence Buckingham Collection 93 The Metropolitan Museum of Art, New York, Henry L. Phillips Collection, legs de Henry L. Phillips, 1939 94 Brigham Young University, Harold B. Lee Library 95 Yale Center for British Art, Paul Mellon Fund, B1997.10. 96 The J. Paul Getty Museum, Los Angeles, 86.XM.604 97 Library of Congress, Washington, D.C. 98 The Cleveland Museum of Art, John L. Severance Fund, 1962.295 99 The Art Institute of Chicago, don de Marilynn B. Alsdorf 100 Kyodo News Stills via Getty Images 101 steeve-x-art/Alamy Stock Photo 102 Bishop Museum 103 Courtesy l'artiste 104 Image numérique, the Museum of Modern Art, New York/ Scala, Florence 105 The J. Paul Getty Museum, Los Angeles. © Man Ray 2015 Trust/DACS, Londres 2024 106 The Metropolitan Museum of Art, H. O. Havemeyer Collection, legs de Mrs. H. O. Havemeyer, 1929 107 Los Angeles County Museum of Art, don de Paul F. Walter (M.87.278.15) 108 The Walters Art Museum, acquisition Henry Walters 109 Penta Springs Limited/Alamy Stock Photo 110 Kimbell Art Museum/ Bridgeman Images 111 CPA Media Pte Ltd/Alamy Stock Photo 112 Courtesy Contour Gallery et Saïdou Dicko. © ADAGP, Paris et DACS, Londres 2024 113 © Saul Leiter Foundation 114 Album/Alamy Stock Photo

Index

Remerciements

« *Tout est plein de signes, et le sage peut
conclure une chose d'une autre.* »

Plotinus, *Deuxième Ennéade*, v. 253-v. 270 apr. J.-C.

Ce livre est dédié à Jackie, rédemptrice des causes
perdues et source intacte de lumière dans un monde
d'ombres imparfait, et à la mémoire de Dan Hillier
(1973-2024).

Je voudrais remercier Jane Laing, Florence Allard,
Georgina Kyriacou, Tristan de Lancey, Sadie Butler,
Jo Walton et tous ceux qui, chez Thames & Hudson,
ont participé à la réalisation de ce livre. Je vous
suis incroyablement reconnaissant à tous pour vos
contributions inestimables, votre clairvoyance,
vos conseils et votre soutien.

Je tiens également à exprimer ma profonde gratitude
à tous les artistes, galeries, musées, institutions,
collectionneurs et successions qui nous ont si
généreusement autorisés à présenter leurs œuvres –
sans eux, ce livre n'existerait pas.

À PROPOS DE L'AUTEUR
Célèbre alchimiste des images, Stephen Ellcock
est un curateur, écrivain, chercheur et collectionneur
d'images en ligne basé à Londres. Depuis une dizaine
d'années, il n'a de cesse de créer un musée d'art virtuel
en constante expansion, ouvert à tous grâce aux réseaux
sociaux. Sa tentative permanente de créer le cabinet
de curiosités ultime des réseaux sociaux a déjà attiré
plus de 635 000 adeptes dans le monde entier.

Il est également l'auteur de *Mondes souterrains*, *La Danse
cosmique*, *All Good Things*, *The Book of Change*, *England
On Fire* – avec un texte de Mat Osman – et *Jeux
de mains*, une collaboration avec Cécile Poimboeuf-
Koizumi.

264 illustrations

EN COUVERTURE : détail d'une illustration tirée de
Alchymia Naturalis Occultissima Vera (L'alchimie vraie,
naturelle et cachée), Hermès, XVIIIᵉ siècle. Image adaptée
de Sammlung Alchymistischer Schriften (German MS 3).
The John Rylands Research Institute and Library, The
University of Manchester

EN QUATRIÈME DE COUVERTURE : détail d'une enluminure
de Ms 3469, un manuscrit du *Physica* d'Aristote datant du
XVᵉ siècle. Bibliothèque Mazarine/© Archives Charmet/
Bridgeman Images

DOS & PAGES DE GARDE : *Opticks #55007*, Albarrán Cabrera,
2019. Courtesy of Albarrán Cabrera

PAGE 1 : détail d'une illustration tirée de *Utriusque Cosmi
Historia* (Histoire des deux mondes), Robert Fludd, 1617-1621

PAGE 2 : illustration tirée de *Gemma Sapientiae et Prudentiae*
(Le joyau de la sagesse et de la prudence), v. 1735

L'édition originale de cet ouvrage a paru sous le titre
Elements chez Thames & Hudson Ltd, Londres.

Éléments © 2024 Thames & Hudson Ltd, Londres

Texte © 2024 Stephen Ellcock

Traduction française
© 2024 Thames & Hudson Ltd, Londres

Traduit de l'anglais par Hélène Borraz

Relecture par Anne Levine

Crédits photographiques, voir pages 252-253

Conception graphique : Daniel Streat, Visual Fields

Cet ouvrage a été reproduit et achevé d'imprimer en
août 2024 par l'imprimerie C&C Offset Printing Co. Ltd
pour Thames & Hudson.

Dépôt légal : 4ᵉ trimestre 2024

ISBN 978-0-500-02835-3

Imprimé en Chine

FSC
www.fsc.org

MIXTE
Papier | Pour une gestion
forestière responsable
FSC® C008047